<u>Seelenpfad</u>
Vom Jammertal zur Leb

*Für meinen Mann Walter
und meinen Sohn Tobias*

Petra Plößer

Seelenpfad

Vom Jammertal zur Lebensfreude

Seelenpfad
Vom Jammertal zur Lebensfreude

3. Auflage / Neuauflage

Copyright © 2017 Petra Plößer

Herstellung und Verlag:
BoD - Books on Demand, Norderstedt
ISBN: 9783743179707

Cover-Foto © Kerry3/ Pexilio www.pixelio.de

Die Deutsche Nationalbibliothek verzeichnet diese Publikation in der Deutschen Nationalbibliografie; detaillierte bibliografische Daten sind im Internet über dnb.d-nb.de abrufbar

Inhalt:

Über die Autorin:

Petra Plößer, geb. 1966 in Oberbayern, führt seit 2006 eine Praxis für Spirituelle Lebenshilfe, das AngelHouse. Im AngelHouse begleitet sie, als mediale Impulsgeberin, Menschen in Ihrem Seelenwachstum, bei Umbrüchen, Neuorientierung oder Neugestaltung des Lebens. Hierbei benutzt Petra spirituelle Werkzeuge mittels derer Sie ganzheitlich unterstützt. In Einzelberatungen und Seminaren bietet sie den Menschen Hilfe zur Selbsthilfe und begleitet diese auf ihrem Weg in die Eigenverantwortlichkeit und Selbstbefreiung.

Petra Plößer absolvierte eine intensive Ausbildung zum Medium, und hilft als geprüftes, zertifiziertes Jenseitsmedium nach britischer Schule den Trauernden ihren Verlust zu verarbeiten.
Sie lebt mit Mann und Sohn im Raum Rosenheim.

Vorwort

Ich freue mich, dass du dieses Buch in deinen Händen hältst. Damit bin ich mir schon fast sicher, dass es dir helfen darf. Bei deiner Sinnfindung oder auch nur durch die nächste Krise.

Mit deiner Energie hast du dieses Buch in dein Leben gezogen, also wird es für dich auch hilfreich sein. Ich wünsche und hoffe es jedenfalls, für uns beide. ☺

Und weißt du was? Ich kann dir gar nicht sagen, warum ich es geschrieben habe. Erst war da nur der Gedanke, weil mein Leben derart verrückt ist. Das wollte ich für mich mal alles auf die Reihe fädeln. Im Rückblick mein Leben sortieren. Ja das war es, was ich wollte. Denn das Leben wird vorwärts gelebt und rückwärts verstanden. Und ich bin eine Frau, die immer alles bis ins Detail verstehen möchte. Daraus wurde dann ein Buch. Einige meiner Freunde und Klienten waren der Meinung, dass das auch für andere interessant wäre und ich es unbedingt veröffentlichen sollte. Und „zufällig" kamen ausgerechnet gerade in der Zeit immer wieder Hinweise zum Thema Buch. So stolperte ich über diesen Verlag, der Neulinge durch gute Angebote unterstützte. „Zufällig" meinte eine Klientin während einer Beratung plötzlich: „Ich denke, du wirst ein Buch schreiben, schon bald, und ich sehe es bereits vor mir." Allerdings waren ihr meine Gedanken zu diesem Thema gar nicht bekannt. Und in jeder Zeitung sprang mir etwas entgegen, das zu diesem Thema passte. Da ich nun seit einigen Jahren bewusst mit meinen Engeln in Kontakt bin, kann ich auch sehr gut erkennen, wenn sie mich mal wieder schubsen.

Überhaupt, das ewige Schubsen. Das nervt manchmal. Sicher kennst du das auch. Da ist ein Gedanke, ein Wort oder ein Gefühl. Und ehe du dich versiehst, bist du schon wieder im nächsten Kapitel deines Lebens angekommen. Nein? Du kennst das nicht? Nun, wenn du mit dem Buch durch bist, wirst du wissen was ich meine.

Du wirst in diesem Buch keine Bedienungsanleitung oder eine Checkliste finden, die dir sagt, wie du dein Leben gestalten sollst. Ratgeber gibt es genug, da findest du sicher etwas. Was du aber finden wirst, sind meine Ideen, wie man sein Leben gestalten kann!

In meinem Buch erzähle ich, wie ich es schaffte, aus dem tiefsten Jammertal einen Weg ins Licht zu finden.

Mein Leben begann 1966. Etwas konfus und anders als gewöhnlich, aber dazu möchte ich hier nicht viel schreiben. Es sind die Angelegenheiten meiner Eltern. Die haben in meinem Buch nichts zu suchen. Nur ein paar klitzekleine Details möchte ich hier verraten, denn die gehören halt auch zu meinem Leben.

Mein leiblicher Vater suchte das Weite, meine Mutter stand alleine mit mir da. Doch schon bald tauchte ein lieber Mann auf, der meine Mutter trotzdem wollte. Das war ja in den Sechzigern auch nicht selbstverständlich. Und er adoptierte mich sogar. Ergo hatte ich jetzt einen Adoptiv-Vater. Ich nenne ihn im Buch Papi. Denn das ist er und wird es immer sein. Papi heiratete meine Mama vom Fleck weg und kurz darauf kam meine Schwester Silvia zu Welt. Sie ist knapp drei Jahre jünger als ich.

Meine Eltern sind zwischenzeitlich lange geschieden. Ich war etwa 13 Jahre alt, da begann es zu kriseln, weil mein Papi merkte, dass er sich von Männern angezogen fühlte. Heute ist er bereits seit über 20 Jahren mit einem Mann zusammen und, seit es in Bayern das Gesetz zulässt, auch mit ihm verpartnert.

Meine Mama ist auch wieder liiert - mit einem Mann, der sehr viel jünger ist als sie. Genau genommen sind mein Mann und meine Stiefväter fast gleich alt. Wir schafften es, unsere verschiedenen Lebensweisen zu tolerieren. Familienfeste und große Partys feiern wir gemeinsam. Meine Eltern verstehen sich gut, und auch die neuen Partner meiner Eltern mögen sich. Wir alle haben ein herzliches und gutes Verhältnis zueinander. Doch das war harte Arbeit und ist uns nicht geschenkt worden.

So das reicht jetzt fürs Erste!

Im Verlauf meiner Erzählungen werde ich meist aus meiner Sicht berichten. Denn ich kann und will nicht schreiben wie es in den Herzen und Gedanken meiner Familie und Freunde aussieht. Das kann ich gar nicht, da müsste ich ihnen etwas überstülpen. Und das steht mir nicht zu.

Mit Ausnahme der Zeilen im Kapitel **Weckruf**. Diese habe ich bereits vor vielen Jahren geschrieben. Ich habe die Erlaubnis meines Mannes und meiner Familie, dass ich auch am Rande über sie schreiben darf. Dieses Kapitel wurde von mir **nicht überarbeitet**. Einfach deswegen, weil ich möchte, dass du fühlst, wie unterschiedlich die Energie zwischen diesem und den anderen Kapiteln ist. Damals war ich am Rande eines Nervenzusammenbruchs. Wahrscheinlich hatte ich sogar einen. Und das spürt man in den Zeilen.

Beginnen möchte ich meine Geschichte mit meiner Hochzeit im Jahre 1990. Wir waren einige Monate verheiratet …

Albträume

1990

Schreiend erwachte ich. Schweißgebadet richtete ich mich im Bett auf und versuchte, mich zu beruhigen. Mein Mann hatte mich geweckt. „Was ist los? Du hast laut geschrien!" Ich versuchte, einen klaren Kopf zu bekommen.

„Meine Mama ist tot. Sie hatte einen schrecklichen Autounfall, ich konnte sie nicht retten." Die Tränen kullerten über mein Gesicht, ich konnte mich nicht mehr beruhigen. Zitternd am ganzen Leib erzählte ich meinem Mann von diesem Traum.

„Mami und ich waren mit dem Auto unterwegs, wir wollten nach Hause fahren und da war eine steile Schlucht. Mami fuhr direkt darauf zu und ich rief immer, sie solle stehen bleiben. Und plötzlich war ich nicht mehr im Auto, sondern sah ihr einfach zu, wie sie die Schlucht hinabstürzte. Ich hab einfach zugesehen!" Mein Gatte nahm mich in den Arm und versicherte mir, dass das nur ein böser Albtraum war. Aber so lebendig, so echt? Ich konnte es einfach nicht glauben. Was sollte das nur bedeuten?

Gut, dass ich es damals nicht wusste. Wer weiß, was ich sonst alles angestellt hätte, um meinem Leben zu entfliehen. Da wäre mir bestimmt etwas eingefallen.

Ich trug diesen Traum einige Tage mit mir herum. Immer wieder musste ich an diese schrecklichen Bilder denken. Was, wenn es ein Wahrtraum war? Sollte ich meiner Mama davon erzählen? Ich machte immer wieder mal Anrufe, um sicherzugehen dass es ihr gut ging. Alles war in bester Ordnung. Doch es verfolgte mich. Nach einigen Wochen fasste ich Mut und erzählte meiner Mama davon. Sie war gar nicht eingeschüchtert. Schließlich befasste sie sich ein bisschen mit der Traumdeutung und erklärte es mir so:

„Ich bin doch gerade in einem totalen Umbruch meines Lebens, habe alles hinter mir gelassen und neu angefangen. Da ist es ein sehr positiver Traum, den du von mir hattest. Er bedeutet, dass ich in einem Wandlungsprozess bin, dass das Alte gehen darf, um Neuem Platz zu machen." Sie erklärte mir das alles so plausibel, so fuhr ich dann sehr beruhigt nach Hause und das Alles war Schnee von gestern. Von wegen! Es war ein Wahrtraum, ein sehr aufschlussreicher noch dazu. Doch ich konnte ihn halt damals nicht verstehen und die Erklärung von meiner Mama war für mich so klar, dass ich gar nicht auf die Idee kam, dass dieser Traum eine Botschaft für mich selbst enthielt. Zwischenzeitlich kenne ich ein Traummedium. Sie hat mich ein bisschen in die Kunst des Träume-Deutens eingewiesen. Und somit weiß ich heute, dass der Traum ein Hinweis auf ein Mutterthema war. Träumt eine Frau von einer anderen Frau, oder eben von der Mutter, bedeutet das meist, dass man von einem Anteil seines Selbst träumt. Oder, dass man sich mit einem Mutterthema auseinandersetzen sollte. Bei mir war es ein Teil meines Selbst, das mich im Traum darauf hingewiesen hatte, dass ein fieses Mutter-Thema bald an meine Türe klopfen würde.

Verschenkte Jahre

1991 bis 1994

Welchem Traum jagst du hinterher? Ist es Geld, ein Häuschen, die perfekte Arbeit oder doch eher ein beschauliches, nettes Leben?

Bei mir war es ein Leben mit zwei Kindern, einem lieben Ehemann und einem Häuschen mit Garten. Einen Ehemann hatte ich jetzt, ein Häuschen zahlten wir gerade ab. Nun rückte mein Traum nach einem Baby in greifbare Nähe. Wir hatten uns zwar nicht abgesprochen, aber der Kinderwunsch war schon sehr greifbar. In ein paar Jährchen, wenn wir die meisten Schulden bezahlt und uns im Beruf einen guten Stand erarbeitet hätten, wollten wir gerne ein Kind.

Erstens kommt es anders, und zweitens als du denkst, heißt es so schön.

Einige Monate nach unserer Heirat musste ich mit argen Unterleibsschmerzen ins Krankenhaus. Eine Eierstockentzündung, nicht schlimm, aber schlimm genug, dass die Ärzte anrieten, wir sollten einen „Babytest" machen. Es sollte geprüft werden, ob ich funktionstüchtige Unterleibsorgane hatte. Mit einem kleinen Eingriff wurden meine Eileiter getestet.

Damals brauchte es dafür noch eine Operation mit Narkose. Deshalb wurde ich erst am Abend, nach dem Eingriff, ins Arztzimmer gerufen. Ich sollte das Testergebnis erfahren.

Der Oberarzt persönlich hatte sich Zeit genommen. Mir war schon ganz komisch zumute. Nach ein paar beruhigenden Worten kam er aber dann ganz schnell zu Sache. Mit erhobenem Zeigefinger – lach nicht, das ist wahr – sagte er zu mir: „Frau Plößer, ich will nicht lange darum herumreden. Sie haben den linken Eileiter verklebt, da kommen keine Spermien durch. Auch der rechte ist ziemlich defekt, nur ein wenig besser als der linke. Ich sage Ihnen ganz ehrlich [erhobener Zeigefinger], wenn sie jemals Kinder bekommen sollten, so wäre das ein Wunder Gottes! Ich rate Ihnen dringend, sofort die Pille abzusetzen und es gleich zu versuchen. Aber die Chancen stehen sehr schlecht!" Das war der Punkt, wo mir dann doch übel wurde, was sonst gar nicht meine Art war. Auweia, das war wie ein Schlag ins Gesicht!

Damit war die Offenbarung auch schon beendet, ich war entlassen.

Im Zimmer wartete bereits mein Mann auf mich. Wir gingen runter in den Hof, um miteinander zu sprechen. Sprechen ist jetzt auch etwas übertrieben. Ich habe nur gestammelt und geweint. Mein Mann war etwas konfus, er hatte damit genauso wenig gerechnet wie ich. Also, was sollten wir jetzt tun? Ich konnte doch nicht einfach die Pille absetzen. Ja, ja, ich höre dich schon. Du meinst, das wäre doch gar keine Frage. Doch, war es. Ich hatte dem Arzt nämlich misstraut. Weißt du, ich bin ein unerschütterlicher Optimist. Solange, bis das Gegenteil bewiesen ist. Und überhaupt, was der Arzt da gesagt hatte, das ging überhaupt nicht. Ich wollte doch zwei Kinder. Am liebsten hätte ich einen Beweis verlangt. Oder selbst in meinen Körper hineingeschaut. Ja wirklich, da kennst du mich noch nicht so gut. Ich habe das später auch noch getan. Aber erst mal war Schluss mit lustig. Wir entschieden uns dann doch dafür, dass ich die Pille absetze. Allerdings war ich der festen Überzeugung, im nächsten Monat schwanger zu sein. Und im übernächsten, und übernächsten. Nein, es tat sich nichts. Da wurde mir schon zum ersten Mal klar, dass Worte Macht sind, weil sie Spuren hinterlassen, die sich in die Seele einbrennen. Und man kann nichts dagegen tun. Nicht mit dem Verstand jedenfalls. Du kannst dir noch so oft einreden, dass der Arzt doch keine Ahnung hat. Es klappt einfach nicht. Man kann seine Seele nicht überlisten.

Und die Monate vergingen. Ich wurde nicht schwanger. Mit jeder Regelblutung schwand mein Optimismus. Überhaupt, das war das erste Mal, dass ICH nichts ausrichten konnte. Ich, die Petra, die immer und für alles eine Lösung parat hatte. Ich sollte da nichts machen können? Pah, das wäre doch gelacht! Erwähnte ich schon, dass ich Arzthelferin bin? Nein, ich glaube nicht. Da hat man nicht so viel Respekt vor den Ärzten, man kennt ja alle Schwächen und weiß, dass sie auch nur Menschen und keine Götter in Weiß sind. Also setzte ich alle Hebel in Bewegung. Ich pflegte ja ein paar Freundschafts-Beziehungen zu Mädels aus anderen Arztpraxen. Die nutzte ich auch, um mal zu erfahren, was es noch für Untersuchungen gab. Natürlich wollte ich dadurch einen Beweis, dass ich einen gesunden, babyfähigen Körper hatte.

Ja, das ist eine sehr belastende Situation. Man spricht am Anfang gar nicht über seine Probleme. Und oft kommen aus dem Bekanntenkreis und von Freunden doofe Bemerkungen, was das Kindermachen angeht. Das ist nicht so leicht wegzustecken.

Es gab noch andere Untersuchungsmethoden. In München gab es sogar eine Praxis, die sich darauf spezialisiert hatte. Also, flux einen Termin vereinbart und nix wie hin. Ich hatte mir extra dafür Urlaub genommen. Auch hier war eine kleine Operation nötig. Aber, und jetzt kommt es, die wurde mit Video aufgezeichnet. Sagte ich dir nicht, dass ich in meinen Körper hineinschauen wollte? Jetzt war es soweit. Nach der Operation wurde ich wieder in das Arztzimmer gebeten. Dieses Mal war es ein sehr einfühlender Arzt, wirklich nett, sehr sympathisch. Ach, ich komme ins Schwärmen. Ich kam mir vor wie im Kino. Erst der Film rein, dann schön mit Kommentaren des Arztes unterlegt. Mit einem Laser-Pointer auf den Zentimeter genau untermauert, wovon er gerade spricht. Wo im Körper wir uns gerade befänden. Und nun – Trommelwirbel – ich war und bin bis heute fruchtbar! Ich konnte ein Baby haben, wann immer ich wollte! Meine Organe waren alle im grünen Bereich. Siehst du mich tanzen, spürst du die Freude? Ach, ich sage dir, das war ein Fest. Ich war überglücklich.

Blieb nur noch die Frage, warum ich nicht schwanger wurde. Auch hier hatte der Arzt eine Erklärung. Die Seele. Ja genau, die war schuld. Was hatte ich nur für eine doofe Seele. So was von empfindlich. So eine Zicke! Und wie bekommt man das/die in den Griff? Wie stelle ich das/sie jetzt wieder ab? Wo doch der andere Arzt diesen Seelenkummer bei mir hinterlassen hatte.

Na ja, auch das würde ich noch schaffen. Jetzt, da ich wusste, dass bei mir alles in Ordnung war. Jetzt konnte ich mich wieder des Lebens freuen. Mit neuem Schwung und Enthusiasmus dachten wir wieder ans Babymachen. ☺

Nun waren wir schon im zweiten Jahr verheiratet. Und alles, was uns beschäftigte, war unser Kinderwunsch. Leider klappte es auch in den folgenden Monaten nicht mit dem Baby. Ich war nun regelmäßig beim Frauenarzt, um den besten Zeitpunkt für eine Befruchtung abzupassen.

Ich hatte auch richtig Wut im Bauch auf den Arzt, der uns das angetan hatte. Ja, so sah ich das damals. Der war schuld an unserer Misere. Wenn er nicht solche bedrohlichen Worte gesprochen hätte, dann wären wir die Sache mit der nötigen Leichtigkeit angegangen. Ja, ein Körnchen Wahrheit ist schon dabei, die Worte des Arztes hatten Spuren hinterlassen. Aber verantwortlich war ich natürlich selbst. Es gehörte mit zum Lebensplan. Zu dieser Zeit hatte ich mich schon ein bisschen mit meiner Seele befasst. Aber halt nur ein wenig. Und wie sollte man auch herausfinden, wie die Seele tickt. Das war für mich alles ein großes Mysterium.

Ein paar schlaue Bücher hatte ich mir damals auch angeschafft. Sie enthielten alle solche Botschaften wie: *Lass los!* Na toll, wie bitte soll man den Wunsch nach einem Baby loslassen? Noch so einer: *Überlege dir, warum du überhaupt ein Kind haben möchtest.* Ja, warum wohl? So ein blöder Ratschlag. Dachte ich damals zumindest. Auch hier hat sich meine Meinung allerdings geändert. Wie bei vielen Dingen. Aber dazu später.

Bald kamen auch bei meinen Freundinnen und Schwägerinnen die Kinder. Am laufenden Band ging das, ständig war eine schwanger. Das machte nicht gerade Mut. Und ich kam mir langsam wirklich komisch vor. Wieso schafften wir die wohl einfachste Sache der Welt nicht? Plötzlich sah ich nur noch schwangere Frauen, glückliche Eltern. Im Fernsehen und in Zeitschriften, beim Einkaufen und in der Eisdiele. Überall lachten mir Babys entgegen. Ich habe mich oft gewundert, warum das so ist. Kauf dir ein blaues Auto, und du siehst nur noch blaue Autos. Damals wusste ich natürlich noch nichts vom Gesetz der Anziehung, ich wunderte mich nur.

Dann hatten die Ärzte die glorreiche Idee, meinem Mann die Schuld zu geben. Es wurden Proben eingefordert, du weißt schon, welche. Und die wurden getestet auf

Fruchtbarkeit. Du wirst es ahnen. Mein Mann war unfruchtbar. Zumindest auf dem Papier. Das kann einen Mann auch wirklich aufheitern. Und mit jeder Probe war die Qualität ein bisschen schlechter. Es wurden schnell die Gründe gefunden. Das Rauchen sei schuld, der Stress, zu wenig frische Luft. Aber der beste Ratschlag kam vom Urologen: „Keine engen Jeans mehr! Die machen die Samenqualität kaputt." Ja, du darfst lachen. Habe ich auch. Das wurde langsam zur Komödie. Erst war ich es, dann mein Mann. Was würde es als Nächstes sein?

Und ehe wir uns versahen, waren wir ein Kinderwunsch-Paar. Wir landeten in einer Schublade. Jetzt waren wir ein „Fall". Ein hoffnungsloser vermutlich.

Kleine Wunder

Wir zogen das volle Programm durch. Was man sich nur vorstellen kann, machten wir mit. Natürlich war das in den neunziger Jahren nicht ganz so umfangreich wie es vielleicht heute ist. Zunächst wurden wir „eingestellt". Das will heißen, mein Zyklus wurde genau unter die Lupe genommen, mein Mann und ich mussten viele Medikamente schlucken und für die Liebe bekamen wir einen Fahrplan.

Meine Herren, das war eine nervige Zeit. Die Details werde ich dir ersparen, aber diejenigen von Euch, die das bereits mitgemacht haben oder gerade mittendrin stecken, wissen wovon ich rede. Wir hielten zwei Jahre durch, dann war mal wieder eine ausführliche Besprechung mit dem Arzt fällig.

Wir erfuhren, dass nun der Zeitpunkt gekommen sei, um nach dem letzten Strohhalm zu greifen. Eine In-vitro-Fertilisation, kurz IVF, wäre die allerletze Möglichkeit für eine Schwangerschaft. Wir waren ja sowas von unfruchtbar. Ha, bei uns war auch langsam Schluss mit lustig, dennoch ließen wir uns alles genau erklären und entschlossen uns zu einem allerletzen Versuch. Doch zu der Zeit hatten wir dafür keine Kraft mehr. Da kam es uns sehr gelegen, dass dafür auch erst im Oktober ein Termin frei war. Damals gab es noch nicht viele Spezialkliniken, die mit der Durchführung dieser Behandlungen vertraut und zugleich vertrauenswürdig waren.

Der Frühling stand bevor, so hatten wir den ganzen Sommer nur für uns. Für uns! Und die Aussicht auf Sex nach Lust und Laune war sehr verlockend. Wir verließen also die Praxis mit einem IVF-Termin für den Oktober.

Seit Tagen hatte ich mich eigenartig gefühlt. Nun saß ich im Bad auf der Toilette und starrte auf einen kleinen weißen Plastikstab. Ich beobachtete fasziniert, wie sich langsam zwei rosa Streifen im vorgesehenen Fenster bildeten.

Ein Gefühl durchflutete mich, das ich bis heute nicht beschreiben kann. Das musst du selbst erleben: Mein Schutzengel hatte mich das erste Mal umarmt. Ich heulte, lachte und benahm mich äußerst seltsam. Ich tanze durch die Wohnung und dachte, ich schwebe. Hättest du mich gesehen, wäre ich sicher in einer psychiatrischen Klinik gelandet.

Ich war schwanger! Schwanger, schwanger, schwanger dröhnte es durch meinen Kopf. Es war mein freier Tag. Es sollte *der* Tag für den Test sein. Denn seit zwei Wochen hatte ich dieses Gefühl der Gewissheit, das Gefühl, das jede werdende Mutter hat, egal ob sie schon mal ein Kind im Leib trug oder nicht. Ich wusste es einfach.

An diesem Tag kam es mir natürlich sehr gelegen, dass ich beim Frauenarzt arbeitete. Ich rief dort an, sprang ins Auto und düste die zehn Kilometer in die Praxis.

Meine Chefin hatte Dienst. Sie drückte mir gleich einen Plastikbecher in die Hand. Das Übliche halt. Und dann starrten wir gemeinsam auf das Stäbchen.

Positiv! Da lief ich eiligst auf die Toilette, um mich zu übergeben. Den ganzen Frust der letzten Jahre kotzte ich heraus. Entschuldige meine Ausdrucksweise, aber so war es eben.

Mein Chef wartete schon im Untersuchungszimmer auf mich. Mit gemischten Gefühlen, weil er wusste, dass eine Schwangerschaft meinerseits auch Konsequenzen für ihn und die Praxis haben würde. Aber ich muss ihm zugestehen, er freute sich wirklich für uns. Nach der Untersuchung ging es weiter mit dem Ultraschall.

Da war er auch schon zu sehen, der kleine Punkt, der mein Baby sein würde …

Alles war in Ordnung. Mit weichen Knien nahm ich meinen Mutterpass entgegen und fuhr nach Hause.

Ich kochte etwas Leckeres, wartete stundenlang auf meinen Mann. Mein Geheimnis wollte ich mit niemand teilen. Ich wollte es mit jeder Faser spüren und auskosten. So fühlte es sich also an, wenn man nach vier Jahren endlich schwanger war.

In der Praxis hatte ich mich oft und aufrichtig mit Frauen gefreut, die das ebenfalls erleben durften. Wir hatten dann im Labor gemeinsam geweint und gelacht. Aber heute, an diesem Tag, durchlebte ich es selbst. Dafür gibt es keine Worte. „So muss sich Glück anfühlen", dachte ich die ganze Zeit. Ich schickte tausend Dankgebete zum Himmel und betete, dass das Kind gesund sein möge, dass die Schwangerschaft gut verlaufen möge.

Und dann kam mein Mann.

Hm, tja, also, ich würde dir jetzt gerne von einem himmlischen, halleluja, trallala, glückseligen Abend erzählen. Aber wie die Männer oft mal sind, es brachte ihn nicht sonderlich aus der Fassung. Er freute sich sehr, war glücklich und schmiedete mit mir zusammen Pläne aber Luftsprünge gab es keine. Wie viele Männer kann er seine Gefühle nicht so zu Ausdruck bringen. Das ist wohl eher Frauensache.

Dennoch merkte man ihm in den nächsten Tagen an wie erleichtert er war. Die Arbeit und seine Hobbys machten ihm wieder Spaß und vor allem lachte er wieder, so wie früher. Der Stress der vergangenen Jahre löste sich langsam auch bei ihm.

Mit Spannung und Staunen nahm ich die Rundungen meines Körpers war. Und schon sehr früh konnte ich erste Klopfzeichen von innen wahrnehmen. Erst leicht wie ein Schmetterlingsflügel, dann etwas kräftiger. Manchmal, wenn ich tief in mich hineinhorchte, meinte ich zu wissen, dass da ein kleiner Junge in meinem Bauch wohnte.

Es war eine leichte, schöne und entspannte Zeit. Jetzt machte es noch mehr Freude in einer Frauenarztpraxis zu arbeiten, denn die viele Patientinnen teilten mit mir die Vorfreude auf das Baby. Der Frühling verging wie im Flug und langsam wölbte sich mein Bauch. Leider aber auch mein Po, die Beine und Schenkel, von den Hüften rede ich lieber nicht. Doch ich blieb unbeschwert, die Kilos machten mir nichts aus. Die gehörten für mich einfach dazu. Außerdem sollte und konnte nun jeder sehen, dass wir ein Kind erwarteten.

Was soll das?

Die Wehen kamen gefährlich unauffällig und ich, die ich ja noch nie welche hatte, erkannte sie nicht.

Zunächst merkte ich nur, dass sich mein Unterleib bei Anstrengung etwas „zusammenzog". Ich schenkte dem keine große Bedeutung, aber nach einigen Wochen kam mir das dann doch eigenartig vor und ich fragte meinen Chef. Dieser war etwas beunruhigt und machte ein CTG, einen Wehentest mit einem speziellen Wehenschreiber. Wären es Wehen, so würde es das Gerät sofort anzeigen. Nichts, rein gar nichts war zu sehen. Also konnte es auch nichts Schlimmes sein. Dachten wir zumindest.

Eines Morgens, kurz nach dem Aufstehen war das Gefühl aber so unangenehm und aufdringlich, dass ich meine damalige Freundin anrief. Sie hatte schon Kinder und würde mir sagen können, was ich tun soll. In der Praxis wollte ich nicht anrufen, da es mein freier Tag war und ich meinen Chef nicht beunruhigen wollte.

Doch meine Freundin schlug sofort Alarm. Und bevor ich noch nachdenken konnte, hatte sie mich schon in ihr Auto gepackt und in eine große Klinik in der nächsten Kreisstadt verfrachtet.

Und dann war ich auch schon aufgenommen, ins Bett gelegt und zur Ruhe verdonnert worden. Verdacht der vorzeitigen Wehen, hieß es. Außerdem bekam ich Wehen hemmende Mittel in die Vene geleitet. Auf dass meine Gebärmutter endlich Ruhe geben würde.

Wie ernst die Lage war, begriff ich allerdings erst, als man mir eine Spritze mit einem Mittel gab, das die Lungenreifung beim meinem Baby vorantreiben sollte.

Hatte ich schon erwähnt, dass mein Leben einer Achterbahnfahrt glich? Schon wieder hatte sich mein Blatt um 180 Grad gewendet. Jetzt war die Gondel wieder im Sturzflug nach unten unterwegs. Was sollte das? Ich schimpfte und wetterte, war sauer und auch ganz schön deprimiert. Wieder eine Sache, die andere Frauen mit links machen, nur bei mir gab es, natürlich, Probleme.

Für die nächsten drei Wochen sollte ich das Bett nicht verlassen. Ich wurde mit einer Bettpfanne versorgt und in ein 4-Bett-Zimmer gebracht. Ich brauche wohl nicht zu erwähnen, dass ich mir eine gewisse Krankenhausphobie einfing, die bis heute mein Begleiter ist?

Morgens um sechs bekam die erste Frau Besuch. Von ihrem Mann. Der arbeitete im Krankenhaus und war jede Minute bei ihr. Am Vormittag kamen die Ehemänner, die erst später zur Arbeit mussten. Kurz nach Mittag kamen die Freundinnen und Mütter der Frauen in mein Zimmer. Am Abend kamen die Ehemänner, die bis dahin arbeiten mussten.

Ach, das war eine Freude. Ich hab zum Schluss schon Wetten mit mir selbst abgeschlossen, wann es mir gelingen würde, mich zu waschen, in die Bettpfanne zu pinkeln oder einfach mal nur zu schlafen.

Als man uns, aus Platznot, zur Nacht eine Frau ins Zimmer brachte, waren wir zu fünft. Diese Nacht vergesse ich nie. Diese Frau schnarchte so laut, dass wir anderen einen gemeinen Plan schmiedeten.

Wir riefen die Nachtschwester und erpressten sie (womit wird nicht verraten). Wir verlangten von ihr, dass sie die Frau wecken und ihr einen Schlaftrunk verabreichen sollte. Danach könnte sie die Frau in die Besenkammer schieben. Plan eins und zwei wurden ausgeführt. Ob die arme Frau wirklich in die Besenkammer kam, weiß ich nicht, aber es war das erste und letzte Mal, dass wir zusätzlich noch jemanden ins Zimmer bekamen.

Ich verbrachte eine ganze Woche im Bett, dann streikte ich. Ich ließ mir keine Angst mehr einjagen und auch kein schlechtes Gewissen meinem Baby gegenüber. Mein Baby würde schon verstehen, dass ich zum Waschen ins Bad musste, und für meine Notdurft eine Toilette brauchte. Also unterschrieb ich den Ärzten einen Wisch, in dem ich bezeugte, dass ich auf eigene Gefahr aufstehen würde.

Von da an ging es so einigermaßen, aber es war eine Qual für mich. Allein die Gerüche, die stanken zum Himmel. Die Familie der einen Dame hatte eine ausgeprägte Liebe zu Knoblauch, eine hielt Körperpflege für überflüssige Zeitverschwendung, die Dritte verwendete dafür sehr üppig ihr Parfüm. Und mein Toilettenstuhl roch auch nicht sehr verlockend.

Nach drei Wochen durfte ich nach Hause. Endlich!

Eigentlich hätte ich nun Urlaub gebraucht. Aber ich musste Bettruhe einhalten und durfte mich nicht belasten. Die Gefahr, das Baby zu verlieren, hing wie ein Damoklesschwert über uns.

Ich wurde besonders gründlich überwacht, jede Woche musste ich zum Arzt, um alles zu überprüfen.

Soweit war alles ganz gut, die Untersuchungen verliefen positiv. Ich war auch schon wieder ganz guter Dinge und freute mich einfach nur auf den Augenblick der Geburt. Natürlich hatten die Ärzte darauf bestanden, dass ich in eine Klinik ginge, die eine Kinderintensivstation hat, nur für den Notfall. Und die letzten drei Wochen der Schwangerschaft sollte ich wieder im Krankenhaus verbringen. Nur für den Notfall. Und jede Woche sollte ein CTG geschrieben werden. Nur für den Notfall.

Aber der Notfall ist ein ganz hinterhältiger und böser Geselle. Der wartet auch mal, bis seine Zeit da ist. Der Notfall kam nach der Geburt.

Es war eine schnelle und unkomplizierte Geburt, und ich habe sie immer noch als sehr schön in Erinnerung. Es tat nicht besonders weh und ging ruck-zuck. In ein paar Stunden war alles vorbei. Es war Rosenmontag. Als unser Sohn das Licht der Welt erblickte, rief ich ein lautes Helau und Alaaf in den Kreißsaal, die Hebammen lachten - und dann lachten sie nicht mehr.

Mir blieb mein Willkommensgruß für mein Baby im Halse stecken, denn die Ärzte waren voller Panik. Sie schnappten sich mein Kind, beatmeten es und weg waren sie. Mein Mann und ich waren völlig durcheinander ob der Dinge, die da geschahen. Die Schwester und die Hebammen schauten betreten drein und konnten uns nicht in die Augen sehen.

Dann erbarmte sich eine Ärztin und erkläre uns: „Ihr Baby hat Atemprobleme und ist sehr, sehr klein. Nur 2400 Gramm schwer und 46 cm groß. Es braucht unbedingt ärztliche Hilfe und muss in den Brutkasten, um gewärmt zu werden. Sind Sie sicher, dass der errechnete Geburtstermin auch stimmt?", wollte sie wissen. Ich verstand nur Bahnhof. Wie konnte der Termin denn nicht stimmen? Dann wäre der Schwangerschaftstest ja schon positiv gewesen, noch bevor ich schwanger war. „Die sind doch bekloppt", dachte ich. Außerdem war uns das alles egal, was die Ärzte von sich gaben, wir wollten nur so schnell wie möglich zu unserem Kind. Also machte sich Walter auf die Socken, um unser Kind zu suchen und um genaueres zu erfahren. Ich konnte ja schlecht weg von hier. Schließlich schickte sich die Ärztin gerade an, meinen

Schnitt zu nähen. Sonst hätte mich nichts gehalten, das darfst du mir glauben.

Etwa eine Stunde später fand sich mein Mann wieder bei mir am Kreißbett ein. Er hatte schlechte Nachrichten. Dominik, so nannten wir unseren Sohn, sei in sehr schlechter Verfassung. Die Ärzte könnten nicht für sein Leben garantieren.

„So ein verdammter Mist, was soll das denn nun schon wieder? Wieso kann bei uns einfach nichts glatt gehen? Was haben wir nur verbrochen?", schimpfte und weinte ich drauflos.

Wir waren am Ende. Kein Schrecken mit gutem Ende, nein, ein Schrecken ohne Ende war das! „Wann hört das endlich mal auf?" „Gott, lass unser Kind gesund werden, lass es nicht sterben!", flehte ich.

Wut, Trauer und Niedergeschlagenheit wechselten sich ab. Ich empfand diese Welt nur noch als Jammertal, und ich sorgte auch dafür, dass es das war. Ich jammerte und lamentierte, war frustriert und beängstigend machtlos.

Die Intensivstation für Säuglinge machte es auch nicht besser. Da ist die Angst direkt greifbar. Die Schwestern waren zwar sehr lieb und halfen uns, das alles ein bisschen besser zu verstehen. Aber unser kleiner, süßer Sohn lag so armselig in seinem Brutkasten, mir schnürte es das Herz zusammen. Wie sollte dieses Würmchen der kalten Welt trotzen? In diesem Moment hätte ich mein Leben für ihn gegeben. Es wäre mir egal gewesen, Hauptsache mein Sohn müsste nicht mehr so leiden.

Die erste Nacht als Mutter war weiß Gott nicht so wie ich mir das vorgestellt hatte. Mein Mann war spät abends nach Hause gefahren. Auch er war so mitgenommen von den Ereignissen des Tages. Aber er wollte mit seinen

Freunden noch etwas feiern. Einen Sohn hatte er sich insgeheim wohl doch gewünscht. Nicht dass er das mal gesagt hätte, aber gespürt hatte ich das immer.

Etwas hatte mich an der Wange berührt, davon wachte ich auf. Unmittelbar erfasste mich ein Gefühl von Panik. Erst konnte ich es nicht einordnen. Aber plötzlich wusste ich, was es bedeutete. Eilends schlüpfte ich in meine Pantoffel und den Bademantel, flitzte die Flure entlang und fuhr mit dem Fahrstuhl ein Stockwerk tiefer, zur Kinderintensivstation.

Schon von Weitem hörte ich die wilden Piepsgeräusche der Überwachungsmonitore, die Stimmen der Ärzte und die Alarmtöne der Geräte.

Eine Gruppe von Ärzten und Schwestern standen um den Inkubator meines Sohnes, sie schwirrten hin und her, riefen sich Worte zu und spritzen Medikamente in die Schläuche, die an Dominiks Kopf angebracht waren.

Ich war einer Ohnmacht nahe, aber man bemerkte mich gar nicht. So schaute ich aus sicherer Entfernung zu. Da sah ich, wie ein Arzt mit einer gelblichen Flüssigkeit herumhantierte und mit einem anderen Arzt offensichtlich darüber diskutierte, ob er dieses Medikament einspritzen sollte.

In diesem Moment lief ich dorthin und schrie den Arzt an. Ich wollte wissen, was das für ein Mittel sei. Er erklärte es mir zwar, aber verstanden hatte ich es nicht. Nur so viel, dass es wohl darum ging, dass sich die Ärzte nicht einig waren, ob es helfen könnte. In diesem Moment verbot ich dem Arzt, dieses Mittel zu verwenden. Und hatte mir damit einen Erzfeind geschaffen. Etwas in mir „wusste" einfach, dass das nicht sein durfte.

Die Mannschaft kämpfte noch einige Minuten um die Stabilität des Herzens, wie sie es nannten. Dann aber erklang vom Monitor wieder ein rhythmisches und stabiles Herzklopfen. Die Gefahr war gebannt. In dieser Nacht blieb ich bei meinem Sohn, niemand sollte sich ihm mehr, unbemerkt von mir, nähern können. Ich zog mir einen Stuhl neben sein „Überlebensbettchen" und versuchte, es mir bequem zu machen. Dominik schlief ruhig die Nacht durch. Als die Schwester kam und mich fragte, ob ich es mal mit stillen versuchen wollte, war ich einfach nur glücklich. Endlich konnte ich etwas für meinen Sohn tun. Also machte ich mich daran, das Stillen zu lernen. Die Schwester war sehr geduldig und half mir, diese „spezielle Technik" zu erlernen.

Leider war mein Sohn viel zu schwach, um an der Brust zu saugen, doch ich hatte schon Milch, und so lernte ich nun, die Milch abzupumpen. Äußerst unangenehm, möchte ich sagen. Aber so konnte die Milch wenigstens verwendet werden, sie wurde ihm dann mit einer Magensonde zugeführt.

Trotzdem kam ich mir vor wie eine Kuh. Die Kuh, die weinte. Immerzu musste ich weinen. Auch noch, als mein Gatte Walter endlich kam.

Als wir so vor dem Inkubator standen, wurde uns die ganze Tragweite der Situation zum ersten Mal bewusst. Die Ärzte hatten schon angedeutet, dass unser Sohn sehr krank war. Wenn er überleben würde, dann blieben vermutlich Defizite in der Motorik und im Wachstum zurück. Die Ärzte sagten uns, dass Dominik „eigentlich" in Frühchen sei, was aber nicht sein konnte. Im Grunde suchten sie nach einer Erklärung, die sie nicht hatten.

Jeden Tag bekamen wir eine neue Diagnose serviert. Wäre das Ganze nicht so traurig gewesen, hätten wir bestimmt gelacht.

Nein wirklich, es war eine Farce. Statt zu sagen „Wir wissen nicht, was Dominik hat", hielten sie uns zum Narren.

Der Arzt, dem ich in jener Nacht verbot das Medikament zu verabreichen, machte es auf eine ganz gemeine Weise. Er war der Oberarzt und hatte die Macht. Wir hatten unsere Macht ja abgegeben. Wieder mal.

So machte es ihm wahrscheinlich Spaß, uns leiden zu sehen. Er ersann viele Diagnosen und Krankheitsbilder, die unser Sohn haben könnte. Und das brauchte immer neue Untersuchungen. Wir machten das alles ganz brav mit. Versteht mich nicht falsch. Ich habe nichts gegen Ärzte, die meisten sind völlig in Ordnung und machen ihre Arbeit nach bestem Gewissen. Aber es gibt auch in diesem Berufsstand solche und solche.

Wir hatten einen solchen, der einfach nicht zugeben konnte, dass er mit seinem Latein am Ende war.

Nach drei Wochen rief ich unsere Krankenkasse an. Ich bat um die Kostenübernahme für alle erforderlichen Apparate und Medikamente, denn Walter und ich hatten beschlossen, unser Kind so schnell wie möglich nach Hause zu holen. Die Zusage kam einen Tag später, per Telefon. Sofort teilten wir unseren Entschluss dem Oberarzt mit. Der war nicht sehr erfreut, er sah es als Niederlage an. Aber das war uns egal.

Am Tag der Entlassung mussten wir nochmal zu ihm, die Papiere abholen. Nun konnte er es sich nicht verkneifen, seinen letzten Trumpf auszuspielen. Er sagte uns: „Ich kann Sie nicht davon abhalten, dass sie Ihr Baby nach Hause holen, aber ich kann Ihnen versichern, dass Ihr

Baby in ein paar Tagen wieder hier ist. Schließlich habe ich die Erfahrung in solchen Dingen." Unterschwellig kam die bedrohliche Botschaft schon rüber, aber er konnte uns damit nicht mehr einschüchtern.

Wir absolvierten im Krankenhaus gemeinsam einen Rettungshelfer-Kursus, der uns im Notfall helfen sollte, das Richtige zu tun. Die Krankenkasse hatte uns dazu geraten und die Kosten auch dafür übernommen.

Danach konnten wir mit Dominik endlich nach Hause.

Zuhause

1996

Das Leben mit Dominik war schwer. Sehr schwer. Er hatte eine Magensonde und musste künstlich ernährt werden, da er das Saugen noch nicht erlernt hatte. Seine Verdauungsorgane arbeiteten auch nicht. Er musste jede Minute an einem Überwachungsmonitor hängen. Sein Herz setzte immer wieder mal aus.

Nachts hatten wir keine ruhige Minute mehr. Regelmäßig piepste der Alarm. Nach einigen Wochen entschlossen wir uns, Dominik in sein Zimmer zu verlegen, in der Hoffnung auf ein paar Minuten mehr Schlaf. Aber es war egal, ich war immer mit einem Ohr im Zimmer meines Sohnes. Schon beim kleinsten Laut sprang ich auf und lief zu ihm rüber.

Zum Glück waren es nie *echte* Alarme. Diese Geräte hat der Teufel erfunden. Die machen einen völlig fertig, da die Elektroden auf alles reagieren, selbst ein Pups macht schon Alarm.

Das birgt natürlich die Gefahr, dass man Alarme nicht mehr beachtet, nicht mehr ernst nimmt. Die Geräusche werden zum Alltag und sind nur noch Hintergrundlaute. Doch jede Mutter verfügt über ein inneres Warnsystem, das sofort ein Gefühl von Sorge verursacht, sollte es dem Nachwuchs schlecht gehen. Ich lernte, darauf zu hören und verließ mich nur noch auf meine eigenen Körpersignale. Wurde mir mulmig zumute, schaute ich sofort nach Dominik, meist konnte ich sofort die Ursache finden und war dann beruhigt.

Nach circa zwölf Wochen entschlossen wir uns, die Geräte zurückzugeben. Vorher wollte ich noch mit dem Kinderarzt darüber sprechen und seine Meinung dazu hören. Mit ihm hatten wir einen Glückstreffer gelandet. Er ist ein lieber und sehr guter Arzt, auch der Naturheilkunde nicht abgeneigt, und im Vordergrund steht immer sein kleiner Patient. Mit unendlicher Geduld und freundlicher Art widmet er sich den Kindern, und macht die oft unangenehmen Untersuchungen dadurch erträglich.

Nachdem er nun Dominik genauestens untersucht und alles getestet hatte, teilte er uns seine Ansicht mit. Er ermutigte uns, die Geräte einfach ein paar Wochen abzuschalten. Dann würden wir sehen, wie wir damit zurechtkamen, auf unser Gefühl zu hören. Danach könnten wir entscheiden und gegebenenfalls beruhigt die Monitore zurückgeben. Dieser Vorschlag gefiel uns, so konnten wir testen, ob wir der Verantwortung gewachsen waren. Der nächste Vorschlag des Arztes verblüffte und erfreute uns gleichermaßen. Was wir davon hielten, die Magensonde zu entfernen und es mit einem Fläschchen zu versuchen, fragte er uns. Gespannt und aufgeregt lauschte ich seiner Stimme: „Sie müssten nur lernen, die Sonde selbst zu legen, falls Dominik das Fläschchen verweigert. Ich würde Ihnen alles zeigen und bin auch telefonisch für Sie erreichbar, falls es Probleme gibt. Sicher wird es am Anfang für die Mama und Dominik schwer und Ihre Geduld ist gefragt, Frau Plößer, aber ich bin mir sicher, dass Sie damit für sich und Ihren Sohn mehr Lebensqualität erlangen würden." Natürlich wollte ich das und auch Walter war aufgeregt über die neue Entwicklung. Sofort wurde alles veranlasst, um die Sonde zu entfernen. Als wüsste Dominik, dass das für ihn gut ist, hielt er ganz still, als ich nun das erste Mal selbst einen Versuch wagte, die Sonde neu einzuführen. Wieder kam mir meine Ausbildung zur Arzthelferin zu Hilfe. Ich schaffte es beim ersten Mal und der Arzt ermutigte mich, es gleich nochmal zu versuchen. Wieder gelang es, nun schon etwas schneller. Der Arzt war zufrieden mit dem Ergebnis und fragte, ob wir uns trauten, gleich jetzt, ohne die Sonde nach Hause zu fahren. Er würde uns die Nahrung für die Nacht und den kommenden Tag mitgeben, so dass wir Zeit hätten, die Spezialnahrung für Dominik zu besorgen. Nichts lieber als das! Ich wurde genau instruiert, wie ich Dominik zu füttern hätte und auch auf eventuelle Probleme, die auftreten könnten, hingewiesen.

Ich traute mir und meinem Sohn alles zu, wir würden das schon schaffen. Die Aussicht auf ein normaleres Leben als Familie machte mich glücklich.

Auf der Heimfahrt bestellten wir in der Apotheke die Spezialmilch und kauften extra Sauger, die uns der Arzt empfohlen hatte. Fläschchen, Destillator und alles, was man so braucht, hatten wir schon zuhause.

Oh je, ich sage dir, das erste Füttern war eine Komödie und ein Drama zugleich. Es dauerte schon ewig, bis Dominik verstand, warum ich mit dem komischen Ding vor seinem Mund herumhantierte. Er kannte es ja nicht. Er hatte seinen Mund bisher ja noch nie zur Nahrungsaufnahme benutzt. Also strich ich immer wieder sanft mit dem Nippel des Saugers um seine Lippen. Langsam wurde er richtig hungrig, auch das kannte er bisher nicht. Die Sonde lieferte ihm ja regelmäßig Essen und füllte seinen kleinen Magen. Bald war er so zornig, dass er nur noch schrie und mit hochrotem Kopf seine Wut kund tat. Alles Zureden half nichts. Er verstand nicht, was da passierte. Als ich schon fast aufgeben wollte, kam mir die Idee, Muttermilch in die Flasche zu tun. Vielleicht würde er diese mit dem Geruchssinn erkennen? Erneut hielt ich ihm das Fläschchen an die Lippen, ließ einen Tropfen in seinen Mund fallen und wartete. Da schaute er mich erstaunt an und begann begierig zu saugen. Sofort verschluckte er sich und hustete heftig. Erschrocken hielt ich ihn hoch und klopfte sanft auf den Rücken. Nein, so ging das nicht. Wieder half mir mein Mutterinstinkt. In fast aufrechter Position hielt ich ihn im Arm und bot ihm erneut die Flasche an. Jetzt ging es schon besser. Allerdings fehlte ihm der Reflex, der es Babys ermöglicht zu trinken und gleichzeitig zu atmen. So war das Trinken ein reines Schauspiel. Schmatzend, gurgelnd und nach Luft schnappend, trank er auf diese Weise 100 Milliliter, dann war er so erschöpft, dass ihm der Kopf zu Seite fiel und er innerhalb von Sekunden eingeschlafen war. Ich war unglaublich stolz auf meinen kleinen Schatz, wusste ich doch, dass dies eine Höchstleistung für ihn war. Sanft legte ich ihn im Wohnzimmer auf das Sofa, so hatte ich meinen Sohn immer im Blickfeld. Ich war völlig geschafft, die erste Flasche für Dominik war das reinste Abenteuer für uns beide. Ich bat Walter, auf unseren Sohn zu achten, da ich nicht wusste, wie viel Luft er geschluckt hatte, und ängstlich war, ob er sich nicht erbrechen musste. Ich brauchte jetzt ein paar Minuten für mich alleine. Viel war an diesem Tag passiert. Und die neuesten Ereignisse versprachen, bei gutem Gelingen, endlich einen Alltag mit mehr Lebensqualität für uns alle. In dieser Nacht allerdings ließen wir die Monitore noch angeschaltet, wir wollten auf Nummer sicher gehen, da wir nicht wussten, wie sich die neue Nahrungsaufnahme auswirken würde. Aber alles lief gut.

Die Sonde brauchten wir nicht mehr, Dominik eignete sich seine ganz besondere Art des Trinkens an. Ich wusste, wie ich ihn am besten dabei unterstützen konnte. Für Außenstehende mag es ein komischer Anblick gewesen sein, uns zu beobachten, wenn mein Sohn seine Flasche trank. Fast stehend, laut schlabbernd und immer wieder nach Luft hechelnd. Nur meine Schwiegermama traute sich zu, ihn zu füttern. Für mich war das sehr hilfreich, da ich nun auch mal ein paar Stunden außer Haus sein konnte und Dominik in guten Händen wusste.

Welche Krankheit Dominik hatte, wussten wir immer noch nicht. Keine Untersuchung hatte ein Ergebnis gebracht, wir und auch die Ärzte waren ratlos. Zwischenzeitlich merkten wir, dass Dominik viele Defizite hatte. Sein Hörvermögen war unzureichend, das Sehvermögen war eingeschränkt. Zu gerne wollte ich wissen, was unserem Liebling fehlte, wie er sich weiter entwickeln würde und auch, welche Unterstützung wir ihm hätten geben können. Doch die Ärzte waren ratlos. Also wurde dafür gesorgt, dass er Krankengymnastik, Bewegungsübungen und andere Fördermaßnahmen bekam. Seine Motorik war stark eingeschränkt, er konnte nicht gezielt nach etwas greifen oder Dinge zu sich holen. Genau genommen sah er mich immer nur mir seinen schönen, braunen Augen an. Oft dachte ich, ich würde darin versinken. Seine Augen waren die eines weisen Menschen, in einem Babykörper. Ich hatte nie das Gefühl, dass er unglücklich wäre oder in irgendeiner Form litt. Dennoch wollten wir noch einen letzten Versuch machen, um hinter das Geheimnis seiner Krankheit zu kommen. Meine Freundin Waltraud, ebenfalls Arzthelferin, ließ ihre Beziehungen spielen und verschaffte uns innerhalb einer Woche einen Termin in einer sehr bekannten und renommierten Kinderklinik. Mein Papi hatte sich angeboten, mich und Dominik zu begleiten. Papi war vernarrt in seinen kleinen Enkel und besuchte uns oft. Er brachte dann Geschenke und kleine Überraschungen für Dominik und hielt ihn stundenlang im Arm. Es war ihm sehr daran gelegen, etwas für ihn zu tun. Außerdem kannte er sich in der Stadt gut aus, was man von mir nicht wirklich behaupten konnte.

Mit wackeligen Beinen und ein bisschen Angst im Herzen wartete ich zusammen mit Papi darauf, von der Ärztin abgeholt zu werden. Dominik lag im Tragekorb und schlief. Das Krankenhaus war riesengroß und wirkte sehr gepflegt. Die Räume strahlten Ruhe aus und alles war auf die kleinen Patienten abgestimmt. „Wie viele schlimme Schicksale sich hier wohl schon abgespielt hatten?", dachte ich und sandte allen Müttern und Vätern ein paar liebe Gedanken.

Eine Ärztin eilte um die Ecke und im Vorbeigehen erklang ein fröhliches: „Dominik Plößer bitte." Schnell sprangen wir auf und liefen der vorauseilenden Frau hinterher, die gerade in einem Sprechzimmer verschwand. Als wir im Zimmer ankamen, saß sie schon hinter einem Schreibtisch und bat uns, Platz zu nehmen. Wir stellten uns vor und ich erzählte in Kurzform unsere Geschichte. Währenddessen hatte die Ärztin Dominik bereits aus seinem Korb befreit und sanft auf eine Untersuchungsliege gelegt.

Eingehend überprüfte sie seine Sinne, die Organe, seine Motorik und machte sich Notizen. Ab und an kam eine Zwischenfrage von ihr, die ich nach bestem Wissen beantwortete. Mein Herz klopfte wild, als sie sich anschickte, uns ihre Ergebnisse mitzuteilen.

Sie wandte sich lächelnd mir und meinem Papa zu und begann uns, ihre Sicht der Dinge zu erklären. Ihrer Ansicht nach könne man keine direkte Diagnose stellen. Alles sehe danach aus, als sei Dominik ein sehr frühes Frühchen. Wie immer das auch sein mag und geschehen konnte. Sie sehe keine Veranlassung, sich Sorgen zu machen, denn es ginge darum, dass Dominik überhaupt Fortschritte mache und das sei ja bestätigt. Anhand der Aufzeichnungen des Kinderarztes und auch der Krankenhausberichte sei deutlich zu sehen, dass Dominik sich weiterentwickelt und das sei das Wichtigste. In welchem Zeitrahmen dies nun geschehe, das würde sich zeigen. Doch solange er beständig immer Neues lerne und auch von uns gefördert würde, sei sie sicher, dass Dominik später sogar mal laufen könne und alles lernen würde, was es zu lernen gäbe. In seinem Tempo und seinen Fähigkeiten entsprechend. Sie ermutigte mich dazu, einfach geduldig zu sein und alles in der Zeit geschehen zu lassen, die Dominik eben brauchen würde.

Damit waren wir auch schon wieder entlassen und strebten kurz darauf dem Klinikausgang entgegen. Ich war erleichtert, glücklich und sehr zuversichtlich. Das, was die Ärztin gesagt hatte, machte mir viel Mut und ich war bereit, alles einfach geschehen zu lassen, ganz so wie es für Dominik gut und richtig war. Auch mein Papi war erfreut über die Worte, die uns die Ärztin schenkte, schließlich war dies eine sehr bekannte Klinik mit den besten Ärzten und Ärztinnen.

Frohen Mutes fuhr ich wieder nach Hause, um die gute Kunde allen meinen Lieben mitzuteilen. Die Freude war auf allen Seiten sehr groß und alle wünschten uns einfach nur viel Glück und waren überzeugt, dass mit Geduld und Spucke alles werden würde.

Dennoch war unser Familienleben fernab jeder Normalität. Für Außenstehende nicht wahrnehmbar, war das Leben mit Dominik alles andere als leicht. Doch wir lernten auf die Bedürfnisse unseres Sohnes einzugehen und alles, so gut es ging, zu meistern. Mit der Zeit lernte ich die Zeichen, die uns unser Sohn gab, zu deuten. Es entstand eine Verständigung zwischen mir und meinem Liebling, die niemand wahrnahm. Ich konnte in seinem Blick lesen. Er sah mich an und ich wusste, was er mir mitteilen wollte. Ein tiefes Einvernehmen war zwischen uns, wir verständigten uns über die Sprache des Herzens, da jede andere Kommunikation nicht möglich war. Wie sollte sich Dominik auch mitteilen? Er konnte nicht greifen, nicht sprechen, sein Köpfchen nicht halten, er hatte nur seine Mimik. Am Klang seiner Geräusche konnte ich unterscheiden, was er gerade brauchte, was er vermisste oder wie er sich fühlte. Auch mit sechs Monaten war er noch wie ein neugeborenes Baby.

Die Monate vergingen wie im Flug und bald stand schon der erste Geburtstag bevor. Das erste Weihnachtsfest mit Dominik feierten wir der Einfachheit halber dieses Mal mit meiner Familie bei uns. Es war ein schönes, ruhiges und friedliches Fest.

Weckruf

1997

Sechs Wochen sind seit dem Tod unseres Jungen vergangen. Sechs Wochen voller Qualen, Verzweiflung, Trauer, Tränen und selbstzerstörerischer Gedanken. Es vergeht kein Tag, an dem ich mich nicht frage, wie wir so weiterleben sollen. So, das heißt ohne unseren Dominik. Und doch vergeht ein Tag nach dem anderen und ich wundere mich darüber, wenn ich morgens aufstehe und abends ins Bett gehe.

Auch an jenem Morgen stand ich wie immer mit meinem Mann auf. Es war drei Wochen vor Dominiks erstem Geburtstag. Nichts, aber auch gar nichts, warnte mich davor, dass es der letzte Morgen mit meinem Sohn zu Hause sein würde. Im Kinderzimmer war es noch still. Ich lugte vorsichtig ins Kinderbettchen um zu sehen, ob Dominik noch schlief.

Er war etwas unruhig, so als ob er gerade im Begriff wäre aufzuwachen.

Ich dachte: „Wenn du leise bist, schläft er vielleicht noch ein bisschen."

Eine Stunde später wuchs meine Unruhe, weil er immer noch schlief. Ich wollte ihn wecken – es war etwa 8 Uhr 30.

Er war wach, aber er atmete völlig abgehackt und ich hatte das Gefühl, dass ihm das Atmen schwer fiel. Sein Köpfchen glühte. Sofort legte ich ihn auf den Wickeltisch, um Fieber zu messen: 39,4 Grad, das erschreckte mich schon sehr. Er war auch gar nicht ansprechbar – irgendwie apathisch. Ich gab ihm ein Fieberzäpfchen, wusch ihn und zog ihn an.

Danach setzte ich Kaffee auf und machte Dominik sein Fläschchen. Er mochte es nicht. Kein Zureden half. Ich war sehr nervös und irgendetwas drängte mich dazu, zusammenzupacken und ihn zum Arzt zu fahren.

Bis wir an der Reihe waren, legte ich ihn in seinen Buggy, um an der frischen Luft vor der Praxis zu warten.

Dominik döste vor sich hin, aber immer wieder öffnete er seine Kulleraugen und schaute mich groß an. Nach einiger Zeit begann er kläglich zu weinen. Ich nahm ihn auf den Arm. Jetzt stieß er ganz eigenartige Laute aus. So hatte ich ihn noch nie gehört. Er klang furchtbar gequält. Ich bekam es mit der Angst zu tun und bat die Arzthelferin uns vorzulassen. Sofort wurden wir ins Sprechzimmer geführt.

Nach ausführlicher Untersuchung, bei der der Arzt immer besorgter dreinblickte, teilte er mir einfühlsam mit, dass Dominik wahrscheinlich eine schwere Lungenentzündung hätte. Eine sofortige Einweisung in eine Intensivstation sei unumgänglich und es müsste unverzüglich geschehen. Ich hatte das Gefühl, der Boden würde mir unter den Füßen weggezogen. Ich dachte: „Er irrt sich, das gibt es nicht." Eine furchtbare Angst ergriff mein Herz.

Noch in der Praxis rief ich meinen Mann an. Er fuhr sofort nach Hause. Der Arzt hatte es möglich gemacht, dass wir Dominik selbst in die Klinik fahren konnten – nicht im Notarztwagen. Zuhause legte ich unser Mäuslein auf das Sofa und erklärte ihm, dass wir ins Krankenhaus fahren und dass ihn dort der Onkel Doktor wieder gesund machen würde. Dominik sah mich nur ganz groß an. Als wir in der Klinik ankamen, warteten schon die Ärzte auf uns. Sie nahmen Dominik sofort im Buggy mit sich.

Während wir mit den Kleidervorschriften einer Intensivstation – Arztkittel, Vorschriften zur Einhaltung der Sterilität, Atemschutz, usw. – vertraut gemacht wurden, hatten die Ärzte unseren Sohn schon entkleidet und erste Untersuchungen angestellt. Als wir zu ihm kamen, lag er bereits völlig nackt in einem großen Bett. Eine Ärztin war gerade dabei, ihm Blut aus seinem Köpfchen zu entnehmen. Dominik ließ alles teilnahmslos über sich ergehen. Er sah nur mit glasigen Augen im Raum umher und wir standen da und konnten ihm nicht helfen. Dieses Gefühl der Ohnmacht kann man nicht beschreiben. Du denkst nur ununterbrochen: „Bitte Gott, mach mein Kind gesund."

Wir redeten immer wieder auf Dominik ein, er solle keine Angst haben, er würde bald gesund. Er solle tapfer sein. Schmerzen hatte er nicht, weil ihm ein starkes Schmerzmittel verabreicht wurde. Seine Augen waren jetzt geschlossen und er war vollkommen ruhig, fast als schliefe er tief und fest. Dass das der Tatsache zuzuschreiben war, dass das „Schmerzmittel" Morphin war, erfuhren wir kurz danach bei einem ersten Gespräch mit einem sehr einfühlsamen, netten Arzt. Er erklärte uns, das Mittel ermögliche den Ärzten eine Vielzahl von Untersuchungen und Blutabnahmen, die jetzt bevorstünden. Auch Röntgen, Herzsonographie, Lungenuntersuchung und Blutzuckerbestimmungen waren vorgesehen. Wir gaben für alles unser Einverständnis.

Das, was sich so nüchtern anhört, ist in Wirklichkeit eine grausame Folter für Eltern, deren Kind in so einem Zustand, ein paar Zimmer weiter, liegt. Du möchtest nur bei deinem Kind sein, es streicheln, küssen und beschützen. In Wirklichkeit kannst du gar nichts tun. Man ist vollkommen dem Wissen und Können der Ärzte ausgeliefert.

Dominik, und nicht zuletzt wir, hatten aber das große Glück, uns unter der Obhut eines außergewöhnlich freundlichen, einfühlsamen, bestens ausgebildeten Ärzte-Schwestern-Teams zu befinden. Nie, auch in der Folgezeit, gab es irgendeinen Grund zur Beanstandung, keine Frage blieb offen, kein Wunsch unerfüllt. Dominik wurde trotz der Hektik einer Intensivstation liebevoll und mit Würde behandelt. Und das Wichtigste: Alle Ärzte und Schwestern hatten immer für uns und Dominik Zeit.

Nach dem Gespräch mit dem Arzt, wir wussten jetzt, dass er Dr. Anders hieß, wurden wir gebeten, für die nächsten zwei Stunden in die Lobby zu gehen und uns ein bisschen auszuruhen. Dr. Anders brauchte die Zeit für die genannten, umfangreichen Untersuchungen. Da wir sowieso nicht helfen konnten und nicht im Weg stehen wollten, waren wir damit einverstanden.

Erst riefen wir unsere Eltern an und informierten sie über den Zustand ihres Enkelkindes. Am Telefon brachten wir keinen vollständigen Satz heraus. Es muss aber schon irgendwie richtig durch den Hörer angekommen sein, denn die Bestürzung war auf beiden Seiten sehr groß.

Mit Mühe konnten wir die Eltern davon abhalten, sofort zu uns in die Klinik zu kommen. Sie hätten uns nicht helfen können.

Wir saßen in der Kaffeeecke der Lobby, als uns ein vorbeieilendes Kamerateam auffiel.

Mit Galgenhumor, wie ich ihn bis heute beibehalten habe, machte ich mich darüber lustig.

Kurz darauf kam Dr. Anders zu uns, er bat uns um Erlaubnis, unseren Sohn, genauer gesagt dessen Atmung, filmen zu dürfen. Er begründete es damit, dass die Erkrankung etwas sehr Seltenes sei und dieses Filmmaterial sehr lehrreich für Studenten sein könne.

Mein Mann und ich gaben die Erlaubnis. Was soll man schon anderes tun. Unsere Köpfe waren einerseits so leer, dass wir keinen klaren Gedanken fassen konnten, andererseits lähmte uns sowieso die Angst um Dominik so sehr, dass wir über solch „unwichtige Dinge" gar nicht reden wollten.

Wir wollten bloß wissen, wie es ihm geht, was er macht, welche Krankheit er hat, wie es weitergeht.

Es ist, als ob man unter Starkstrom steht. Du erfühlst, erahnst bereits, was der Arzt sagen könnte, aber dein Kopf schreit: „Nein, nein, nein, nein!"

Dominik hatte keine Lungenentzündung. Sein Herz arbeitete nach rechts in die Lungen gegen einen Widerstand an. Der Blutzuckerspiegel war nicht mehr messbar, die Durchblutung, in Folge der Herzschwäche, war mehr als schlecht. Der Blutdruck war mit der Blutdruckmanschette auch nicht mehr messbar. Der Puls war nicht mehr fühlbar. Zwischen dem Rippenfell und der Lunge hatten sich beidseits Flüssigkeitsansammlungen gebildet. Dr. Anders erklärte uns, was jetzt alles gemacht werden sollte. Als erstes erhielt Dominik herzstärkende und gefäßerweiternde Medikamente, dann Glucose-Infusionen, einen Katheter in den Hals für folgende Blutabnahmen und für die Medikamentenzufuhr. Zuletzt versuchte man noch mittels einer Pleura-Punktion die Flüssigkeit aus den beiden Lungen ablaufen zu lassen.

Als wir unseren Spatz das nächste Mal wieder sahen, war er vollkommen verkabelt. Überall hingen Schläuche und Infusionen. Am Kopf, im Hals und an der Brust EKG-Elektroden, am Arm eine Blutdruckmanschette. Links und rechts der Brust je eine Kanüle.

Nie mehr in meinem ganzen Leben werde ich den schrecklichen Anblick meines Sohnes vergessen. Ein kleines Menschlein, verkabelt von Kopf bis Fuß, gerade 72 cm groß und elf Monate alt. Mein Sohn lag da, dem Tod näher als dem Leben. Das wusste ich noch nicht, aber ich glaube, ich habe es in dem Moment gespürt, als ich ihn da so liegen sah.

Jetzt durften wir bei ihm bleiben.

Mein Mann nahm ein Beinchen und ich die Hand, die nicht verkabelt war. Wir erschraken heftig, er war eiskalt. Die Durchblutung war wegen des Herzens sehr schlecht, erklärte uns eine Schwester. Seine Temperatur betrug nur noch 35,5°.

So rieben und rubbelten mein Mann und ich seine Hände und Beine, um ihn etwas zu wärmen. Er lag ja immer noch nackt unter den Handtüchern.

Wir zogen ihm immer wieder seine Spieluhr auf, sprachen leise mit ihm und horchten und hofften auf ein kleines Zeichen des Erkennens. Nichts geschah. Eine nette Schwester wärmte Mullwindeln in der Mikrowelle und versuchte so unseren Sohn zu wärmen. In den folgenden Stunden versuchten mein Mann und ich uns Trost zu geben. Wir redeten darüber, wie groß die Freude wird, wenn wir drei wieder zu Hause sind, und darüber, dass Dominik in den besten Händen ist, dass er wieder ganz gesund wird.

Viele Stunden saßen wir so an seinem Bett, denn Dominik lag jetzt in einem tiefen, künstlichen Koma. Wenn er bei Bewusstsein gewesen wäre, hätte er sich die Kabel und Schläuche herausgerissen. Gegen Abend, wir waren beide müde und kraftlos, kam ein Arzt und sagte, wir könnten jetzt beruhigt nach Hause fahren. Dominiks Zustand sei stabil und es sei nicht zu erwarten, dass noch etwas Gravierendes passieren würde. Sollte jedoch, wider Erwarten, irgendetwas mit unserem Jungen sein, dann würden wir sofort benachrichtigt. Widerstrebend und doch froh, der Krankenhausatmosphäre entfliehen zu können, machten wir uns auf den Weg nach Hause. Der leere Buggy, den wir ja noch in der Klinik hatten, drückte unsere Stimmung noch tiefer. Die Autofahrt habe ich nicht mehr so genau in Erinnerung, aber diese unendliche Stille, die uns daheim empfing, die weiß ich noch ganz genau. Wir hielten es nicht lange in der einsamen Wohnung aus und gingen zu den Schwiegereltern, um uns etwas zu zerstreuen. Dies gelang aber nicht sehr gut, weil wir immer an unser Kind denken mussten, das nun einsam im großen Krankenbett und bei fremden Leuten war. Seltsamerweise schliefen wir in dieser Nacht tief und fest bis morgens um sechs Uhr.

Wir waren gerade dabei, ein paar Sachen zusammenzupacken, als das Telefon läutete. Am anderen Ende war der diensthabende Nachtarzt der Klinik. In diesem Moment spürte ich sofort eine eiserne Hand, die mein Herz ergriff. Ich meinte, ein Abgrund tue sich auf und mein Puls jagte. Ich weiß nicht mehr die Worte, die der Arzt benutzte, alles was ich verstand, war, dass heute Nacht, während wir schliefen, unser Junge um sein Leben kämpfen musste. Ich konnte nicht mehr an mich halten und begann zu weinen. In meinem Kopf hämmerte nur ein Satz: „Mein Kind darf nicht sterben, mein Kind wird leben!" Das weitere Telefongespräch führte mein Mann fort. Später erzählte er mir, dass er gebeten wurde, umsichtig und langsam zu fahren. Die Ärzte hätten alles im Griff, aber wir sollten uns mit dem Gedanken auseinandersetzen, dass unser Sohn möglicherweise stirbt.

Walter, fuhr äußerst konzentriert und vorsichtig. Nur dass wir einen großen Umweg fuhren, ließ erkennen, wie die Nachricht ihn aus der Fassung gebracht hatte. Die ganze

Fahrt über sprachen wir kein Wort, weil jeder seinen eigenen Gedanken nachhing. Nur einmal, als ich in Gedanken betete und Gott bat, uns wenigstens die Möglichkeit zu geben, unseren Sohn noch lebend zu sehen, da sagte Walter zu mir: „Wir werden es schaffen.", und ich wusste, dass wir dasselbe dachten.

In der Klinik angekommen, wollten wir natürlich sofort zu unserem Sohn, aber Dr. Anders wartete schon und bat uns für ein Gespräch in sein Zimmer. Was er nun zu sagen hatte, fiel ihm sichtlich schwer.

Zögernd begann er zu sprechen: „Leider muss ich Ihnen mitteilen, dass es Ihrem Kind sehr schlecht geht. Heute Nacht hat seine Leberfunktion versagt. Seine Leberwerte, die normal bei 30 liegen, sind auf bis zu 5000 angestiegen. Ich konnte Sie nicht anrufen, weil wir jede Hand beim Kampf um das Leben Ihres Sohnes brauchten. Das Versagen der Leber wurde durch die schlechte Durchblutung der gesamten inneren Organe verursacht. Ich muss Ihnen ganz ehrlich sagen, dass wir den Zustand Ihres Sohnes zwar im Moment stabilisieren konnten, aber wir wissen nicht, ob wir einen positiven Einfluss auf das Herzproblem bekommen, da Dominik auf keines der bis jetzt eingesetzten Herzmittel reagiert. Ich möchte Sie bitten, dass Sie beide sich überlegen, ob im Falle eines Herzversagens eine Reanimation erfolgen soll."

Wir standen die ganze Zeit wie vom Donner gerührt da und versuchten zu verstehen, was uns der Arzt erklärt hatte. Es ist so furchtbar, wenn man sich über solche Sachen Gedanken machen soll, wo doch eigentlich im Kopf noch nicht einmal Klarheit über die Schwere und das Ausmaß der Krankheit deines Kindes herrscht. Du wehrst dich auch, der Wahrheit ins Gesicht zu sehen. Denn es ist ja noch keine zwei Tage her, wo dein Schätzchen friedlich schlummernd in deinen Armen lag. Und nun soll dein Kind plötzlich lebensgefährlich erkrankt sein?

Ich dachte, wenn ich erst gar keine Gedanken ans Sterben aufkommen ließe, dann kann auch nichts passieren. Nach diesem Gespräch konnten wir dann endlich zu unserem Liebling aufs Zimmer.

Mein Gott, wie lag er da! Sooft wir in den nächsten Tagen in sein Zimmer kamen, musste ich mich darauf besinnen, dass das kleine Häufchen Mensch unser süßer, kleiner Spatz war.

Aufgedunsen von den vielen Medikamenten, fahl im Gesicht mit einem gelblichen Unterton. Hilflos, regungslos und seine schönen Augen fest geschlossen. Wie oft habe ich mir gewünscht, er würde uns noch einmal mit großen, braunen Augen ansehen. Oft hatte ich das Gefühl, mein Herz bliebe stehen, so einen Schmerz empfand ich bei seinem Anblick. Walter ging es genauso.

Wir saßen an seinem Bett, sprachen mit ihm und versuchten herauszufinden, was in unserem Sohn vorging. Im Laufe der Zeit begannen wir, ihm von dem Gespräch mit dem Arzt zu erzählen, versuchten ihm zu erklären, wie wir empfinden und sprachen ihm Mut zu, weiter zu kämpfen. Wie von selbst und ohne Worte sind sich mein Mann und ich in diesen Stunden einig geworden, dass wir, im Falle des Falles, einer Reanimation nicht zustimmen würden und Anweisung geben würden, eine solche nicht durchzuführen. Wir wussten einfach, dass Dominik dies nicht wollte und wir wollten sichergehen, dass Dominik nicht weiter leiden müsste.

Davon abgesehen glaubten wir sowieso nicht, dass dieser Fall eintreten würde – unser Kind würde gesund werden. Daran hielten wir unerschütterlich fest. Ich weiß bis heute nicht, ob Pfarrer Beck nur seine Runde machte, wie es für einen Krankenhausseelsorger üblich ist, oder ob das Klinikpersonal ihn gerufen hatte.

Jedenfalls kam er im Laufe dieses Tages plötzlich in das Zimmer und stellte sich vor. Er war ein überaus sympathischer Mann, Mitte 50, graumeliertes Haar und er hatte ein sehr freundliches Wesen.

Er fragte uns, ob es recht sei, wenn er sich mit uns über unseren Kummer unterhalten würde und ob wir seine Anwesenheit überhaupt dulden würden.

Er war auch noch bei uns, als gegen Abend wieder Dr. Anders kam und uns mitteilte, dass sich die Situation kein bisschen geändert hatte und die Ursache für das Herzproblem einfach nicht zu finden sei. Wir konnten zwischen den Worten deutlich heraushören, was er uns in Wahrheit mitteilen wollte: „Wenn nicht bald ein Wunder geschieht, sehe ich keine Hoffnung mehr für ihren Sohn." Wir waren so unendlich traurig, so hilflos. Ich konnte einfach nicht glauben, dass Gott uns dies antut. Gott konnte nicht so grausam sein. Aber, so dachte ich, hatte er nicht sogar seinen eigenen Sohn geopfert?

Meine Gedanken drehten sich wie ein Karussell, aber ich gab die Hoffnung nicht auf. Vielleicht irrten sich die Ärzte ja auch. Wie oft hatte man schon davon gehört, dass Ärzte einen Patienten aufgegeben hatten und dieser sich – wie durch ein Wunder – wieder erholte? Bei unserem Dominik würde es genau so sein. „Die Ärzte werden schon sehen.", dachte ich. „Ich habe noch nie in einer Situation kampflos aufgegeben und jetzt erst recht nicht. Ich werde nicht zulassen, dass mein Kind stirbt!"

Meine Gedanken rasten. Wieder redeten wir auf unseren Sohn ein, nur ja nicht aufzugeben, weiter zu kämpfen, uns nicht zu verlassen. Plötzlich begann das Blutdruckgerät zu piepsen. Eine herbeigeeilte Schwester teilte uns freudig mit, dass sie jetzt seinen Blutdruck messen konnte und dass dieser sogar ganz gut wäre.

Sie sagte: „Das ist ein gutes Zeichen. Wenn der Blutdruck so bleibt, bedeutet es, dass ihr Sohn versucht zu kämpfen." Ein Freudentaumel durchlief meinen Körper. Endlich, endlich begann unser Sohn zu kämpfen!

Liebevoll streichelten wir seine Arme und Beinchen und sprachen mit sanfter Stimme all die Worte, die Eltern finden, wenn sie nichts anderes für ihr Kind tun können.

Irgendwie hatte ich immer das Gefühl, dass unsere bloße Anwesenheit sich beruhigend auf Dominik auswirkte, auch wenn dafür keine sichtbaren Anzeichen vorhanden waren. Ich wusste einfach, dass wir ihn mit unserer ganzen Liebe einhüllen und, was immer auch geschehe, bei ihm sein mussten. Außerdem waren Walter und ich fest davon überzeugt, dass er jedes Wort von uns verstehen, in sich aufnehmen und verarbeiten konnte.

Heute weiß ich, dass er zu dieser Zeit einen inneren Kampf ausführen musste. Durch all unser Drängen, uns nicht zu verlassen, haben wir ihm sein Leben in den letzten Tagen sicher oft schwer gemacht. Ich weiß tief in mir, dass Dominik darauf wartete, dass wir uns von ihm verabschiedeten. Aber noch waren wir dazu nicht bereit.

Die Freude, ja die Euphorie darüber, dass der Blutdruck nun messbar war, ließ uns nicht erkennen, dass unser Sohn bereits im Sterben lag.

Heute glaube ich, dass es die einzige Möglichkeit für ihn war, uns zu zeigen, wie sehr er uns in seiner Nähe brauchte. Denn in der nächsten Zeit war es oft so, dass das Blutdruckgerät nur Werte zeigte, wenn wir bei ihm waren.

Am Abend dieses Tages kam der Arzt, um mit uns noch ein klärendes Gespräch zu führen.

Dr. Anders erklärte uns: „Ihr Sohn ist nun „stabil", doch leider bedeutet das in seinem Fall nichts Gutes. Durch die Herzschwäche werden alle lebenswichtigen Organe nicht mehr ausreichend durchblutet."

Walter wollte nun wissen, wie denn die Sauerstoffversorgung des Gehirns aussieht. Der Arzt antwortete: „Das Gehirn wird vom Herz, durch eine nicht näher bekannte Eigenregie des Körpers, immer bis zuletzt mit genügend Sauerstoff versorgt. Aber das ist auch nicht unser Problem. Das Schwierige bei Dominik ist der Zustand seiner Organe. Die werden nur noch unzureichend versorgt und mit einem Zusammenbruch der Sauerstoffversorgung beginnt das langsame Versagen von Nieren, Leber und Milz."

Innerlich fragten wir uns wohl beide, was das nun wieder heißen sollte, aber der Arzt fuhr mit seinen Ausführungen fort: „Leider können wir das Herzproblem Ihres Sohnes noch nicht einordnen, was bedeutet, dass unsere Bemühungen im Moment darin liegen, die Herztätigkeit so gut wie möglich mit Medikamenten zu unterstützen. Unglücklicherweise spricht Ihr Sohn aber nicht ausreichend darauf an."

Ich glaube, in diesen Minuten begriff ich bereits, dass es Zeit war, Gedanken an den bevorstehenden Tod unseres Lieblings zuzulassen.

Aus Sicht des Mediziners war nun alles Wichtige gesagt und er ließ uns mit Dominik allein. Ganz nah saßen wir an seinem Bett und betrachteten unseren Sohn nun mit anderen Augen. Sah er nicht irgendwie völlig anders aus? Wollte er in dieser Welt voller Schmerz und ungenauer Zukunft überhaupt noch leben?

Schweigend hielten wir seine weichen Händchen und sponnen jeder seine eigenen Gedanken.

Später zeigte sich im Gespräch mit meinem Mann, dass wir auch diesmal ohne Worte zu derselben Einsicht gekommen waren. Nämlich, dass wir niemals zulassen würden, dass Dominiks Leiden unnötig verlängert wird. Wir würden ihn, wenn es soweit wäre, gehen lassen. Aber die Hoffnung blieb.

Für die weitere Zeit, in der Dominik in der Klinik sein musste, wurde uns ein Zimmer im so genannten Elterntrakt angeboten. Dankbar nahmen wir das Angebot an. So konnten wir immer zu unserem Sohn – auch nachts. Der Trakt war mit der Intensivstation über ein Telefon verbunden. Jederzeit konnten wir uns auf diese Weise über den Gesundheitszustand von Dominik informieren und notfalls in ein paar Minuten zu ihm gelangen.

Es war schon Abend, als eine Krankenschwester zu uns kam und uns bat, Dominik auch die Möglichkeit zu geben, einmal allein zu sein. Sie erklärte uns, dass es nicht nur uns gut täte, im Schlaf neue Kraft zu schöpfen, sondern dass es auch wichtig für die kleinen Patienten wäre, von Zeit zu Zeit vollkommen allein zu sein – ohne Untersuchungen, ohne Ärzte und Schwestern und ohne Eltern.

„Denn dies alles, auch die Anwesenheit der Eltern, ist sehr Kräfte zehrend und anstrengend. Deshalb brauchen die Kinder auch große Ruhepausen, in denen sie sich völlig fallen lassen können, um neue Kraftreserven zu mobilisieren.“

Das alles klang einleuchtend, weshalb wir uns auch bald für diese Nacht von unserem Sohn verabschiedeten. Beide gaben wir ihm einen dicken Kuss. Wir verließen die Intensivstation, jedoch nicht ohne ein Versprechen der Nachtschwester, bei geringstem Anlass sofort Bescheid zu geben. Zu jeder Zeit!

Wir standen gerade in der Halle um ein bisschen Abstand zu bekommen, da sah ich meine Freundin. „Waltraud!" Ich lief auf sie zu und warf mich in ihre Arme. Meine Freundin, meine allerbeste Freundin und ihr Mann waren gekommen, wollten bei uns sein, wollten uns beistehen. Wir hielten uns lange umfangen und sprachen kein Wort. Waltraud erklärte, dass sie einfach bei uns sein mussten, uns helfen, irgendwie. Und es half. Endlich konnte ich mich fallen lassen, musste nicht mehr stark sein, durfte weinen. Wir gingen zusammen in ein kleines Bistro neben dem Krankenhaus, nicht ohne vorher alles mit der Schwester zu besprechen …falls, ja falls.

Wir sprachen stundenlang über das Thema. Natürlich fanden wir keine Lösung, die Gespräche drehten sich immer wieder im Kreis. Aber das Reden tat gut und die Nähe meiner besten Freundin half mir, wieder ein bisschen in meine Mitte zu gelangen. Waltraud ist immer sehr bedacht und immer in der Balance. Selten dass sie mal die Geduld verliert. So ließen sie und ihr Mann Antonio uns einfach reden, weinen und auch schweigen.

Waltraud versprach mir, immer für mich da zu sein, mich zu unterstützen und aufzufangen, im schlimmsten Fall … Und wenn das jemand kann, dann ist das sie. Obwohl in meinem Kopf Chaos herrschte, wurde ich doch ruhiger. Das war doch alles so abstrus, völlig verrückt.

Um Mitternacht drängte es uns wieder zu unserem Sohn. Die Zeit, die uns blieb, war so kostbar, da wollten wir jede Sekunde in der Nähe von Dominik verbringen. Also verabschiedeten wir uns von unseren Freunden und gingen zurück ins Krankenhaus. Wie viel Zeit uns noch blieb? Wir verbrachten eine unruhige Nacht im Elternzimmer, jedes Mal beim Läuten des Telefons aufgeschreckt und abwartend, ob es für uns bestimmt ist.

Am nächsten Morgen gingen wir sofort zu unserem Sohn. Es war alles unverändert – nicht besser, nicht schlechter.

Die Schwester teilte uns mit, dass mein Vater in der Lobby auf uns wartete. Er hatte uns etwas zum Essen gebracht, aber wir wollten nichts. Es war so unwichtig. Mein Vater bat uns, seinen Enkel besuchen zu dürfen, aber wir konnten ihm seinen Wunsch nicht erfüllen. Er sollte Dominik so nicht sehen. Papi verstand es.

Nun verbrachten wir diesen Tag genauso wie den letzten. Wir saßen stundenlang am Bett unseres Sohnes und sprachen mit ihm.

Währenddessen wartete mein Papi geduldig in der Halle. Er wollte einfach in unserer Nähe sein. Von Zeit zu Zeit gingen mein Mann oder ich zu ihm, um ihm zu berichten.

Am Abend kam Dr. Anders wieder und bat uns um ein weiteres Gespräch. Er sagte uns, Dominik ist nun an einem Punkt angelangt, an dem wir uns ernsthaft mit dem Thema passiver Sterbehilfe auseinandersetzen müssten.

Die Gefühle und Gedanken, die wir bei diesem Gespräch hatten, lassen sich mit Worten nicht beschreiben. Was sollten wir tun? Wir wollten doch nur das Beste für unseren Sohn. Aber konnte das der Tod sein?

Dr. Anders sagte uns, wir müssten entscheiden, ob wir einer Dialyse zustimmen würden. Dies hätte bedeutet, dass unserem Liebling auch noch der Bauch geöffnet werden müsste, aber die Chancen, dass er das überlebt, standen mehr als schlecht.

Irgendwie wussten wir, dass das nicht das Richtige wäre, also baten wir um Bedenkzeit bis zum nächsten Tag. Doch der Arzt meinte, dies sei nur eine Möglichkeit. Die Zweite wäre die der passiven Sterbehilfe. Dabei ließen wir unseren Sohn selbst entscheiden, ob er weiterleben wollte. Wir müssten unsere Zustimmung geben, dass alle Apparate mit Medikamentenzufuhr abgestellt werden und nur noch die Beatmung fortgesetzt wird. Dann würde Dominik in eine Richtung gehen müssen – ins Leben oder in den Tod.

Der Arzt war ehrlich genug uns mitzuteilen, dass seiner Ansicht nach der Tod eintreten würde. Wir brachten beide kein Wort mehr heraus, wir wurden von Verzweiflung und Tränen, Trauer und Wut gebeutelt. Wie sollen Eltern so etwas entscheiden? Es war so grausam. Warum tut Gott so etwas?

Wir ließen den Arzt einfach stehen, gingen zu meinem Vater und erzählten ihm von diesem Gespräch. Nun weinten wir alle bitterlich. Es war uns egal, dass die Leute gafften. Nach einer Weile beruhigten wir uns etwas und versuchten, im gemeinsamen Gespräch eine Lösung zu finden. Papi sagte nur, dass er nicht wolle, dass sein Enkel noch länger und unnötig leiden muss. Das wollten wir doch auch nicht, aber ihn sterben lassen? Doch eigentlich wussten wir beide schon, wie wir uns entscheiden würden. Doch keiner traute sich, seine Meinung laut zu sagen. Das war auch nicht nötig. Wir gingen zu unserem Sohn, hielten seine Hände und teilten ihm mit, dass wir nun bereit seien, ihn gehen zu lassen. Wir versprachen ihm, dass wir für ihn stark sein werden. Und dass wir, seine Eltern, ganz fest zusammenhalten werden, wenn er nicht mehr da ist. Wir baten ihn, aus dem Leben zu gehen, wenn er nicht mehr kämpfen wollte oder konnte.

Und tausendmal sagten wir ihm, wie sehr wir ihn liebten – für immer und ewig – und ihn nie vergessen würden. Wir dankten ihm für die schönsten Momente, die wir hatten – zusammen mit ihm. Wir trösteten ihn, er brauche keine Angst mehr zu haben und baten ihn, einfach ins Licht gehen, wenn er soweit sei. Wir erzählten ihm, dass nach dem Tod das Leben weitergeht und bestimmt seine Uromas schon auf ihn warten würden.

In diesen Stunden fiel sein Blutdruck so rapide, dass uns die Schwester mitteilte, der Augenblick des Abschieds sei nun gekommen. Ich sollte bitte veranlassen, dass etwas Kleidung gebracht wird, die wir ihm bei seiner bevorstehenden Reise anziehen möchten …

So rief ich meine Schwiegermutter an und bat sie zusammenzupacken, was Dominik noch brauche. Sie war irgendwie froh darüber, noch etwas für unseren Spatz tun zu können. Zuhause, das spürte ich am Telefon, waren alle schon in Trauer.

Doch noch einmal bekamen wir eine Nacht Aufschub, denn Dominik ließ sich Zeit. Der Blutdruck stabilisierte sich noch einmal und so legte uns die Schwester unseren Sohn abwechselnd in die Arme. So saßen wir die ganze Nacht, jeder in einem Schaukelstuhl, und verbrachten die letzten Stunden mit unserem Sohn in einer ruhigen, friedlichen Stimmung.

Nachdem wir die Entscheidung getroffen hatten, kam etwas Ruhe in unsere Herzen. Dominik hatte uns ganz deutlich gezeigt, dass er keine Kraft mehr hatte. Und nur die Liebe zu unserem Sohn ließ uns so handeln wie wir es am kommenden Morgen taten.

Wir ließen den Arzt kommen und baten ihn, die Geräte abzustellen. Der Pfarrer erschien wieder unaufgefordert, als wüsste er über die Vorfälle im Krankenhaus zu jeder Zeit Bescheid.

Wir wurden gebeten, noch einmal für eine halbe Stunde ins Café zu gehen und den Ärzten und Schwestern Zeit zu geben, um alles vorzubereiten.

Im Café saßen, blass und mit verweinten Augen, mein Papi, mein Schwiegerpapa und meine Schwägerin Diana, um in der schweren Stunde in unserer Nähe zu sein. Wir alle hatten keine Worte.

Wir saßen da mit Angst und Qual im Herzen und wussten, dass der schwerste Gang unseres Lebens vor uns liegt. Und unsere Verwandten wussten, wenn wir jetzt gehen und dann wiederkommen ...

Ich konnte alles in ihren Augen lesen.

Immer wieder bestätigten wir uns gegenseitig, dass wir das Richtige tun.

Als wir wieder ins Krankenzimmer kamen, waren die Schaukelstühle neben das Bett gerückt. Dominik war in warme Tücher gehüllt. Alle Nadeln und Kabel waren weg - nur noch ein kleiner Schlauch in seiner Nase und eine Manschette um den Arm. Seine Augen waren geschlossen.

Wir nahmen Platz und die Schwester legte mir meinen Schatz in die Arme. Mein Mann rückte ganz nah an uns heran und vergrub seine Hände unter den Tüchern, um Dominiks Beinchen und Bauch zu streicheln.

Wir hielten ihm die aufgezogene Spieluhr ans Ohr und flüsterten ihm Liebeserklärungen zu. Nebenbei schaukelten wir ihn beruhigend hin und her. Die Minuten verstrichen. Der Pfarrer und alle Anwesenden waren in sich versunken. Nur das Piepen des EKGs war zu hören. Wieder die Spieluhr, Liebesgeflüster, schaukeln. Plötzlich bemerkte ich, dass uns Dominik mit großen Augen beobachtete. Das war zu viel, ich schrie seinen Namen und weinte hemmungslos, und Walter weinte mit mir. Langsam schloss Dominik seine Augen und das Piepsen im Hintergrund wurde immer schwächer. Ich flüsterte Dominik Mut zu und dass wir ihn lieben und ihn nie vergessen werden. Ich sagte ihm Grüße von allen Opas, Omas, Tanten und Onkeln, von Waltraud und Antonio, seinen Paten.

Mein Herz wusste, dass alles richtig ist, aber in meinem Kopf hämmerte andauernd der Satz: „Dominik, bleib bei mir!" Intuitiv erkannte ich, dass er das spürte, deshalb sagte ich laut und deutlich: „Wir lassen dich jetzt gehen." Wie lange wir noch so saßen, kann ich nicht mehr sagen. Der Arzt kam und flüsterte behutsam, dass es nun vorbei wäre.

Eine Schwester nahm Dominik und legte ihn Walter in den Arm. Er stand auf und ging mit seinem Sohn im Zimmer umher und weinte und schluchzte so bitterlich. Das war zu viel – ich konnte nicht mehr. Diesen Anblick werde ich nie vergessen. Wie sollten wir uns trösten? Ich ging zu ihm und umarmte alle beide ganz fest. Ich sagte zu Walter: „Bitte weine nicht mehr, bitte weine nicht mehr.", und weinte selbst ununterbrochen. Tief versunken standen wir mit unserem toten Kind im Arm am Fenster und konnten uns nicht bewegen, waren wie erstarrt.

Eine Schwester kam und sagte, wir müssten nun noch einmal etwas Geduld haben und ein kleines bisschen warten, bis wir Dominik anziehen können – falls wir das selbst tun wollten. Auch sie weinte.

Natürlich wollten wir das. Also gingen wir zu unseren Vätern. Bei unserem Anblick brachen auch sie in Tränen aus. Worte waren überflüssig. Wir tranken einen Kaffee, um auch den letzten Weg zu unserem Sohn zu überstehen. Er lag nackt in einem Wärmebettchen. Von den Wunden und Blutergüssen der Nadeln und Schnitte, von den Punktionen war nicht mehr viel zu sehen, da der Arzt, gefühlvoll wie er war, Verbände umgewickelt hatte.

Dominik war gebadet, gekämmt und duftete gut. Er war ganz warm, da er auf eine Wärmematratze gelegt worden war. Gemeinsam zogen wir unserem Sohn die mitgebrachten Kleidungsstücke an. Wir packten ihn warm ein, denn es war Januar …

Die Schwester ließ uns mit ihm allein.

Das Zimmer sah jetzt verändert aus. Alle Geräte waren weg, die Schaukelstühle auch. Alles war sauber und aufgeräumt – bereit für den nächsten kleinen Patienten.

Uns blieb nur noch, unseren Jungen in die Obhut der wartenden Schwester zu geben und uns von allen, die uns in den letzten Tagen beigestanden haben, zu verabschieden. Alles war so traurig und farblos geworden. Im Arztzimmer wartete Dr. Anders auf uns. Eine letzte Frage stand in seinen Augen. Obduktion, ja oder nein? Aber auch darüber hatten Walter und ich schon gesprochen. Nein, dies wollten wir auf keinen Fall. Dr. Anders drang nicht weiter in uns. Er versprach dafür zu sorgen, dass dies auf keinen Fall geschehen würde.

Mehr gab es nicht mehr zu sagen. Wortlos drückten wir einander die Hände und verließen die Intensivstation.

In der Halle wurden wir von unseren Lieben bereits erwartet. Sie hatten in der Zwischenzeit das Elternzimmer geräumt und unsere Sachen ins Auto gebracht.

Gebrochen und kraftlos ließen wir uns zu den Autos bringen – unfähig irgendwelche Gedanken oder Worte zu formulieren. Alles, was jetzt noch kommen würde, war nichts gegen das, was wir in den letzten Stunden und Tagen erleben mussten.

Doch unser Herz sagte uns, dass wir alles richtig gemacht hatten. Und das war ein gutes Gefühl.

Dieses Gefühl und die Versprechen, die wir Dominik gaben, tragen dazu bei, dass wir morgens aufstehen und jeden Tag unser Bestes geben, wieder einen Tag ohne unseren Sohn weiterzuleben.

Der Sinn des Lebens oder:
Wer ist schuld?

Unsere Familien hatten ein Auffangnetz gewoben. Nie waren wir alleine. Immer hatte jemand Zeit für uns. Meine Freundin Waltraud hielt ihr Versprechen. Sie war für mich da. Meine Mama hatte sich Urlaub genommen. Meine Schwiegereltern kaufen für uns ein, bekochten und umsorgten uns. Meine Schwägerin kam oft auf einen Kaffee zu uns rüber. Unsere Freunde Christine und Klaus hielten ihr Haus für uns offen, einmal kamen sie mit einer Pfanne frisch gekochter Schinkennudeln und vertrieben vorübergehend unsere Sorgen.

Rosi und Manfred, Freunde seit über 20 Jahren und selbst verwaiste Eltern, hatten hilfreiche und umsetzbare Tipps für uns.

Meine Freundin Gabi bewies mir bereits einige Tage nach Dominiks Tod, dass ich immer auf sie zählen kann.

Ich bin so dankbar für diese Freundschaften.

Ich konnte weinen, jammern und mich selbst bemitleiden, es war in Ordnung. Und wir durften zum hundertsten Male wieder alles durchkauen, von oben nach unten und zurück.

Bei den meisten Menschen herrscht eine große Berührungsangst, wenn sie auf Trauernde treffen. Es war nicht selbstverständlich, dass wir so umfangreich unterstützt wurden.

Doch der Tag hat bekanntlich 24 Stunden. Und die fühlten sich wie Wochen an. Ja klar, die Hilfe und Unterstützung war gut. Dennoch musste ich es schaffen, meinen Alltag wieder alleine zu bewältigen. Nach einigen Wochen traute ich mich endlich wieder unter die Menschen. Mein Plan war, mit dem Auto einfach mal so in die Stadt zu fahren. Davor hatte ich richtig Angst. Was, wenn mich jemand schief anguckt? Was, wenn mich jemand anspricht? Die einfachsten Dinge fielen mir schwer und ich war völlig plan- und ziellos. Wie hatten wir vorher gelebt? Ich konnte mich nicht mehr daran erinnern, wie das Leben ohne Kind war. Plötzlich war da so viel Zeit. Vom Haushalt mal abgesehen hatte ich keine Pflichten, keine Arbeit, auch kein Hobby. Vielleicht denkst du, das kann doch wohl nicht so schwer sein? Doch, das war es. Ich musste mich völlig neu finden, wieder entdecken. Bis zu Dominiks Tod war mein Tag straff organisiert und aufgeteilt. Jetzt hatte ich die Zeit, die ich mir oft gewünscht hatte, und wusste nichts damit anzufangen. Also grübelte ich. Ich lamentierte, jammerte und versank in tiefes Selbstmitleid. Was wir alles durchmachen mussten, wie schlecht es mir doch ging. Wie ungerecht diese Welt zu uns doch war. Die Zuwendungen, die ich von außen bekam, waren wie ein Pflaster für mein Herz. Es tat so gut, wenn mir gesagt wurde, was ich doch für eine Arme sei, wie ich doch leiden musste, dass wir das sicherlich nicht verdient hätten. Und so versank ich immer mehr in mein persönliches Jammertal.

Ich grübelte und grübelte und zermarterte mir den Kopf. Ich wollte herausfinden, wo, verdammt nochmal, der Sinn in Dominiks Tod sein könnte. Rosi hatte mir zwar gesagt, dass wir uns niemals eine Frage stellen sollten, die mit „W" beginnt. Da hatte sie schon recht. Aber ich wollte wissen: Weshalb musste mein Sohn sterben? Warum musste das passieren? Wieso konnte ich es nicht verhindern? Was habe ich falsch gemacht? Und wer war schuld? Jemand musste doch Schuld an dem ganzen

Schlamassel haben! Das war doch immer so. Wenn etwas schief geht, dann hat jemand Schuld daran. Oder?

Ja, das war der springende Punkt. Ich hatte immer das Gefühl, wenn ich das herausfinden könnte, dann ginge es mir besser. Dann könnte ich es loslassen und ein neues Leben beginnen.

Also, wer war schuld? Wenn jemand schuldig ist, hat er Strafe verdient. Also war das vielleicht eine Strafe. Aber für wen? Für mich? Für Walter? Oder gar für Dominik? Nein, das fühlte sich ganz falsch an. Das konnte es nicht sein. Vielleicht ist Gott ein Fehler unterlaufen? Vielleicht war der schuld? Naja, nach allem, was ich wusste, machte Gott nie Fehler. Aber seine Engel, insbesondere der Schutzengel von Dominik. Ja, das könnte stimmen. Nein, doch nicht. Engel machen auch keine Fehler. Dann kann es nur Strafe sein. Aber was hatte ich nur verbrochen? Was hatte ich angestellt, dass ich so eine schwere Strafe verdient hatte? Für Walter konnte ich mir das nun gar nicht vorstellen. Er ist einer der besten Menschen, die ich kenne: gutmütig, sanft und hilfsbereit. Soweit ich mich erinnern konnte, gab es auch nichts im Leben meines Mannes, wofür er hätte bestraft werden müssen. Bei mir war das vielleicht anders. Ich hatte mit circa 16 Jahren einen Suizidversuch gemacht. Aber Gott musste doch wissen, dass das nur ein Hilfeschrei war, der gar nicht ernst gemeint war. Und wenn er zornig war, hätte er ja gleich mich sterben lassen können und nicht meinen Sohn. Ach, die ganze Grübelei half einfach nicht, ich kam keinen Schritt weiter. Und außerdem machte mir etwas ständig einen Strich durch meine genialen Gedankengänge. Ich hatte immer ein gutes Verhältnis zu Gott. Wir mochten uns. Schon seit meiner Kindheit hatten wir schöne Gespräche und er half mir auch immer, wenn ich eine Bitte an ihn hatte. Ich fühlte mich von ihm beschützt und ernst genommen. Und der Gedanke an einen strafenden Gott gefiel mir gar nicht. So ist Gott nicht. Er liebt seine Kinder so sehr, dass er ihnen alles durchgehen lässt und wir Menschen den freien Willen von ihm bekommen haben. Da kann er uns doch dann nicht dafür bestrafen, wenn wir unseren freien Willen ausleben. Nein, nein, das passte alles nicht zusammen.

Wo lag nun der Sinn? Was machte Sinn?

Und plötzlich aus dem Nichts kam die Antwort. Es machte dann Sinn, wenn **ich mich** dadurch veränderte, wenn ich ein „besserer" Mensch werden würde. Ja, genau das fühlte sich richtig an. Dann wäre das Sterben von Dominik nicht sinnlos gewesen. Und in diesem Moment spürte ich wieder diese *Umarmung*, dieses Gefühl, das mich durchflutete, so angenehm, dass ich ganz still hielt, um es zu genießen. Ein Gefühl von Geborgenheit. Es war wie ein Zeichen von Gott, das mir sagen sollte: „Gut gemacht, weiter so, du bist auf dem richtigen Weg."

Ja, das war es also. Dominik ist gestorben, um aus uns bessere Menschen zu machen. Ich ging davon aus, dass das auch Walter betreffen müsste, wenngleich ich nicht wusste, worin er sich bessern sollte. Bei mir war das gar nicht so schwer zu erkennen. Da gab es einiges in meinem Verhalten und Wesen, das ich verbessern könnte. Und um den Faden nicht zu verlieren, spürte ich weiter hinein in diesen Gedanken. Das Gefühl, das ich eben noch hatte, verflüchtigtes sich langsam. Und dann kam die Erkenntnis. Wie vom Donner gerührt stand ich da, inmitten meiner Küche.

Jetzt spürte ich die ganze Wahrheit. **Wenn es nicht um Strafe ging, dann um Ausgleich, wenn nicht um Schuld, dann ging es darum, Verantwortung zu über-**

nehmen, dann konnte aus unserem Zusammenbruch Wachstum entstehen. Ich hatte gerade eines der hermetischen Gesetzte begriffen. Damals noch nicht wissentlich, aber gefühlsmäßig hatte ich erfasst, dass es um Ursache und Wirkung ging. Ich war wie berauscht. Endlich hatte ich das Rätsel geknackt, endlich konnte ich was tun. Ich konnte ein besserer Mensch werden. Wie ich das bewerkstelligen wollte, war in dem Moment nicht wichtig. Einzig, dass alles endlich einen Sinn bekommen hatte. Dass es mir möglich war, den Sinn zu erkennen. Ich zweifelte keine Sekunde, dass ich einem Irrtum aufgesessen sein könnte. Dies war ein tiefes, inneres Wissen, fast wie ein Erinnern an ein Versprechen. Kennst du das Gefühl, wenn du dich nur noch diffus an etwas erinnerst, du weißt, da war mal was, nur greifen kannst du es nicht mehr? Wie ein Traum am Morgen erinnerst du dich, dass du etwas Wichtiges geträumt hast, nur an den Traum selbst kommst du nicht mehr heran. Genau so fühlte ich mich. Zum ersten Mal seit den tragischen Ereignissen in unserem Leben schlief ich in dieser Nacht wieder tief und fest.

Am nächsten Morgen erstellte ich einen Plan. Schließlich wollte ich mich verändern. Was lag also näher, mal zu durchleuchten, was ich verändern könnte. Der Plan war lang und ausführlich. Und gefiel mir gar nicht. Wenn ich nach diesem Plan mich und mein Leben verändern wollte, blieb nichts, gar nichts wie bisher. Rückblickend bin ich der Ansicht, dass nicht ich diesen Plan geschrieben habe, sondern meine Seele. Oje, wie sollte ich das alles bewerkstelligen? Da blieb keine Petra mehr übrig, so wie sie mal war. Obwohl, wenn ich es genau betrachtete, gefiel mir die Petra, wie sie dort auf dem Papier stand, sehr gut. Da standen so Sachen wie Lebensfreude, Spaß, Liebe, Glück, Verantwortung, Selbstliebe.

Selbstliebe, was sollte das nun heißen? Nein, den Plan konnte unmöglich ich verfasst haben. Solche Wörter kannte ich bis dato noch gar nicht.

Den Plan gibt es noch heute, ich habe ihn aufbewahrt. Wie so viele Notizen, die ich in der folgenden Zeit verfasst habe. Ein paar davon darfst du später lesen. Die nächsten Tage waren seltsam. Ich hatte ein Gefühl von „getragen sein". Als ob ich nicht alleine wäre. Ich fühlte mich geborgen, gar nicht mehr traurig. Eher in einer Art Vorfreude. Aber worauf nur? Innerlich lief ein Prozess ab. Ich dachte viel nach und überlegte, was es denn sein könnte, das es auszugleichen gab. Warum denn deshalb Dominik sterben sollte. Und, ich kann es schwer beschreiben, eine Wahrheit festigte sich in mir. Walter, Dominik und ich hatten wohl eine Vereinbarung getroffen für dieses Leben. Es geht dabei wohl darum, etwas ins Lot zu bringen. Mir war bewusst, dass sich das nicht ausschließlich auf dieses Leben beziehen musste. Schon als Kind war für mich klar, dass wir viele Leben hier auf der Erde haben, dass nur der Körper stirbt und die Seele wiedergeboren wird, in einem anderen Gewand. Das alles saß bereits tief in mir, als ich noch Kind war. Deshalb fiel es mir leicht darüber nachzudenken, dass es vielleicht eine gemeinsame Vereinbarung zwischen uns gab, die uns dabei helfen sollte, neue Lektionen zu lernen. Etwas zu Ende zu bringen, was wir im Vorleben nicht geschafft hatten, oder etwas Neues zu lernen. Und je länger ich darüber nachdachte, umso mehr wurde mir klar. Es ist ein inneres Wissen, eine innere Wahrheit, die von der Seele selbst kommt und die du findest, wenn du beginnst, dein Leben zu hinterfragen. Gut, das war das eine. Aber es brachte mich nicht wirklich weiter bei meinen Veränderungswünschen. Die umzusetzen, fand ich sehr beschwerlich. Und ich wusste auch nicht, wie ich das nun anstellen sollte. Meine Idee war, es mal mit den sogenannten Esoterikern zu versuchen. Aber wo findet man die auf dem Dorf? Gar nicht so einfach, die machten keine Werbung und wurden als Geheimtipp gehandelt. Leider hatte für mich niemand einen Tipp.

Also streckte ich meine Fühler nach geeigneten Büchern aus. Das war gar nicht so leicht. Internet hatten wir nicht und unsere Buchhandlungen gaben auch nichts Entsprechendes her. Doch ich fand einige Bücher über positives Denken und einige ältere Ausgaben esoterischer Bücher bekannter Autoren. Diese verschlang ich geradezu. Und alles, was ich las, fühlte sich richtig an. Nicht, dass ich alles verstanden hätte, nein, teilweise waren mir die Bücher viel zu schwer verständlich. Doch das Meiste fiel einfach in mich hinein, ich verstand die Botschaften auf einer anderen Ebene. Wenn ich mich mit den esoterischen Dingen beschäftigte, rückte meine Trauer in den Hintergrund. Ich konnte dann für Stunden vergessen, dass ich mein Kind verloren hatte. Es tat mir gut und brachte mir viele Informationen und Ideen, welche Zusammenhänge bestehen könnten, warum, wieso, weshalb. Zu der Zeit hatte ich keine Ahnung, dass das Karussell schon wieder Anlauf nahm. Wann immer ich in diesem Buch nun von *Zufall* schreibe, meine ich damit eine glückliche, manchmal auch unbequeme Fügung. *Zufall* gibt es nicht. Aber leider habe ich kein anderes, passenderes Wort dafür gefunden. „Planung" würde mir gut gefallen, aber das lässt sich im Satz nicht gut einbauen. Obwohl das Wort *Zufall* ja schon treffend ist. Schließlich fällt dir ja etwas zu.

Ab dem Zeitpunkt meines Beschlusses, mein Leben zu verändern, fielen mir viele Dinge zu. Natürlich hatte ich das damals alles gar nicht erkannt und auch nicht so wahrgenommen. Jetzt kam das Gesetz der Anziehung zum Tragen. Wie bereits erwähnt, wird einem das meist erst im Rückblick klar.

Neuer Mut

Fast drei Monate hatten wir nun einigermaßen gut überstanden. Es tat nicht mehr ganz so weh und langsam fanden wir auch den Weg zurück ins Leben. Wir gingen wieder auf die eine oder andere Feier, buchten Urlaub und pflegten unsere sozialen Kontakte. Einige Menschen in unserem Umfeld pikierten sich darüber, auch weil wir keine schwarze Kleidung trugen, wie das bei uns in der Gegend immer noch üblich war. Doch davon ließen wir uns nicht beirren. Schließlich hatten wir das Versprechen einzulösen, welches wir Dominik gegeben hatten. Nämlich, dass wir es schaffen würden, wieder glücklich zu werden. Und auch das Lachen fiel zunehmend leichter. Mit der Umsetzung meiner Vorhaben kam ich allerdings nicht wirklich weiter. Es fiel mir schwer, mich zu verändern. Ich wusste einfach nicht, wie ich das anstellen könnte. In den Büchern war viel die Rede von Meditation. Oje, das versuchte ich oft, aber ich fand keine Ruhe. Ständig sauste mein Geist hin und her. Wann immer ich mich für eine Meditation zurechtrückte, fing mein Verstand an zu rebellieren. Da kamen alle Gedanken, von staubsaugen bis Blumen gießen über einkaufen gehen, Rasen mähen und tausend andere Dinge. Also ließ ich es einfach bleiben. Sicher war ich gänzlich ungeeignet für eine Meditation. Dafür träumte ich in dieser Zeit sehr intensiv. Ich konnte mich an viele Träume erinnern und schrieb sie auf. Meine Mami lieh mir ihr Traumdeutungsbuch. Mit dessen Hilfe zerpflückte ich meine Träume in ihre Bestandteile, und fand sehr viele Symbole aus dem Traumbuch in meinen nächtlichen Abenteuern wieder. Ich deutete meine Träume sehr gewissenhaft und kam zu dem Schluss, dass ich wohl auf dem Wege der seelischen Heilung sein musste, da fast alle Symbole von Wunscherfüllung, Heilung und positiven Wendungen erzählten. Vermutlich kannte meine Seele das Traumbuch, mit dem ich arbeitete, denn erfreulicherweise konnte ich damit alles deuten und verstehen. Es waren auch ausnahmslos schöne Träume. Oft ging es dabei um Häuser, Wohnungen oder ganz allgemein einen Hausbau. Dann mal über Fahrzeuge, Schiffe und Schwangerschaft. Viele Babys besiedelten mein nächtliches Erleben. Doch mir war bewusst, dass das die Früchte meiner Arbeit waren und keine Prophezeiung für eine erneute Schwangerschaft. So freute ich mich darüber, dass wohl eine erfüllte Zeit vor mir lag.

Eines Tages fiel mir *zufällig* eine bekannte Frauenzeitschrift in die Hand, in der eine noch bekanntere Astrologin ihre Dienste anbot. Astrologie hatte mich schon seit meiner frühen Jugend fasziniert. Da lag es auf der Hand, dass ich der Frau einfach mal einen Brief schrieb. Ich erklärte ihr mit kurzen Sätzen, was uns widerfahren war, und fragte an, ob sie mir eine Zukunftsprognose erstellen könnte, was eine erneute Schwangerschaft beträfe. Der Brief war abgeschickt und sogleich wieder vergessen. Insgeheim rechnete ich nicht damit, dass ich von ihr eine Antwort erhalten würde. Schließlich war mir bewusst, dass das in der Regel anders abläuft und man erst mal in Vorleistung treten muss, bevor man einen Termin bekommt. In der gleichen Zeitung war auch ein Hinweis auf ein Buch, geschrieben von einem englischen Jenseitsmedium. „Sag Ihnen, dass ich lebe!", so der ¡Titel. Der Inhalt handelte von den Erlebnissen der Autorin und wurde von der Zeitschrift als wertvoll und hilfreich eingestuft, besonders wenn man gerade einen lieben Menschen an den Tod verloren hatte. Na, wenn das mal nicht auf mich passte. Ich war angezogen von diesem Buch und machte mich auf, danach zu suchen. Leicht war es nicht, aber nachdem ich einige Buchläden abgeklappert hatte, erklärte sich ein Händler bereit, es für mich aufzuspüren und zu bestellen.

Ich verschlang das Buch geradezu. Ich bezeichne es auch heute noch gerne als „meinen damaligen Rettungsanker". Dieses Buch hatte mein Herz tief berührt und brachte Heilung für meine Seele. Beschrieb es doch genau, was ich im Herzen immer gefühlt und als Antwort erahnt hatte. Alles war geplant. Dominik musste nicht leiden, nicht, wenn das alles stimmte, was in diesem Buch zu lesen war. Demnach musste Dominik jetzt heil und gesund sein, er konnte zu uns „herabblicken" und an unserem Leben teilhaben. Und ganz sicher wollte er nicht, dass wir uns vom Leben ausgrenzen und traurig sind. Ich habe das Buch vorwärts und rückwärts gelesen, immer wieder. Es gab mir so viel Trost und auch Mut, einfach weiterzumachen. In den letzten Jahren habe ich es viele Male verliehen, so dass das gute Stück mittlerweile nur noch aus vielen Einzelteilen besteht. Aber ich klebe und flicke immer wieder alles schön zusammen, da das Buch nicht mehr erhältlich ist.

Ach, wie gerne hätte ich einen Termin bei dieser Autorin gehabt, doch das zu bewerkstelligen, war außerhalb meiner Möglichkeiten. Dafür hätte ich nach England reisen müssen, einen Dolmetscher im Gepäck und das in den 90er Jahren. Nein, das war mir dann doch zu übertrieben. Also legte ich diese Pläne wieder auf Eis und las weiter in dem Buch. Auf der Suche nach ähnlichen Büchern fand ich weiteres Material, zum Beispiel von der Autorin Kübler-Ross. Alles, was ich dort las, brachte Frieden in mein Herz und ließ mich langsam heiler werden. Es fühlte sich so richtig an und es war, als ob ich über Dinge las, die ich tief im Inneren längst wusste.

Eines Abends zappte sich mein Mann durch sämtliche Kanäle unserer spärlichen Auswahl von ca. 10 Sendern. Gerade hörte ich noch was von einem Jenseitsmedium, da war auch schon ein anderes Programm gefunden. Ich schrie von der Küche aus: „Stopp, schalt wieder zurück, da kommt was von einem Jenseitsmedium." Gerade wurde von einem Experiment gesprochen, dem sich ein englisches Jenseitsmedium unterziehen wollte. Es ging darum, dass ein kleines Publikum von ca. 100 Leuten im Studio versammelt war. Sie alle hatten jemanden im Jenseits. Das Medium, Paul Meek, wollte sich auf die Menschen im Raum einstimmen und Kontakt zu einem verstorbenen Angehörigen einer Person im Publikum aufnehmen. Wenn dies gelungen sei, würde er dem betreffenden Menschen im Raum mitteilen, wer da gerade „herüberschaut" und wollte mit den richtigen Durchsagen beweisen, dass die Verstorbenen immer noch unter uns weilen und oft wichtige Mitteilungen zu machen haben. Fasziniert saß ich vor dem Fernseher und verfolgte die nun beginnende Demonstration. Die Haare standen mir zu Berge, ich war total gefangen in den Handlungen, die sich da gerade abspielten. Paul Meek hatte Verbindung zu einigen Verstorbenen aufgebaut, die ihm sagten, in welcher Beziehung sie zu den jeweiligen Menschen im Publikum standen, sie gaben Beweise durch, die nur die Angesprochenen verstehen konnten. Er „sah" Dinge, die uns Zuschauern verborgen blieben. Dennoch war ganz eindeutig zu spüren, dass das alles mit rechten Dingen zuging. Er sprach einfach jemanden an und sagte sowas wie „Ich habe hier Ihre Mutter, sie zeigt mir eine Kette, es ist eine Perle daran befestigt. Sie sagt, dass Sie diese Kette als Andenken immer noch in einer Schublade in ihre Küche aufbewahren. Sie lässt Ihnen mitteilen …" Das ist nur ein Beispiel. Was er wirklich übermittelt hat, das weiß ich nicht mehr. Aber alles, was er zu den Menschen sagte, berührte diese tief und man konnte an den Gefühlsausbrüchen und Tränen sehen, dass das alles „echt" war.

Am Ende der Sendung wusste ich, dass ich diesen Mann kennen lernen wollte. Ich war ganz aus dem Häuschen. Wenn ich bei dem Mann einen Termin bekommen könnte, dann würde ich endlich Nachricht von Dominik erhalten. Ich könnte mit ihm sprechen, und er würde mir sicher einiges erklären können über die Zusammenhänge seines Todes und halt alles, was ich so wissen wollte. Ich rief sogar beim Sender an. Die Nummer fand ich in der Fernsehzeitung. Aber ich hatte keinen Erfolg damit. Es hieß, es könnte keine Auskunft gegeben werden. Na toll. Wieder eine Mauer. Also fragte ich im Buchhandel, ob es ein Buch von Paul Meek gäbe. Fehlanzeige. Der Mann konnte sich doch nicht einfach so davon stehlen. In Ermangelung eines Internetanschlusses konnte ich auch keine Recherchen über ihn anstellen. Es war zum Haare raufen. Aber gut, diese Möglichkeit schien mir wohl verschlossen zu sein. Ich gab auf.

Immerhin deckte sich seine Arbeit mit der Arbeit der Autorin meines Lieblingsbuches. Und das war für mich ein weiterer Beweis, dass *meine Wahrheit* richtig war. Alles fügte sich zu einem Bild und machte mich innerlich wieder ausgewogener und friedlicher gestimmt. Und es erklärte, warum es mich überhaupt nicht zum Friedhof drängte. Das war nur für die Leute und Nachbarn, nicht für mich. Ich konnte Dominik dort nicht fühlen. Er war mir dort nicht nahe. Oft dachte ich an seinem Grab: „Du bist doch gar nicht hier, du bist doch bei uns zuhause, in meiner Nähe." Das war für mich viel stimmiger, das konnte ich wesentlich besser nachvollziehen. Schließlich ist der Mensch doch nicht sein Körper, sondern Seele. Und die Seele überlebt jeden Tod. Immer wieder.

Ein Traum wird wahr

Etwas hatte mich geweckt. Verträumt sah ich mich im Schlafzimmer um. Da blieb mein Blick links neben meinem Bett haften. Dominik stand dort. Er sah mich an und lächelte. Mein Körper konnte sich nicht bewegen, nur den Kopf konnte ich drehen, um Dominik dabei zuzusehen, wie er im Raum herum hüpfte. Strahlend rief er mir zu: „Mami, schau mal, ich kann laufen und hüpfen. Auch auf einen Bein. Kannst du es sehen?" Ich war erstarrt und meine Haare rauften sich um einen Stehplatz, am ganzen Körper hatte ich Gänsehaut. Angst hatte ich nicht. Fasziniert beobachtete ich die Kunststückchen, die Dominik vorführte. Er sah wunderschön aus, hatte dunkle Locken, war aber etwas älter, als er im realen Leben gewesen wäre. Vielleicht zwei Jahre, oder so. Er sah einfach vollkommen aus, mit einem Strahlen und Glück in den Augen, sowas hatte ich bisher noch nie gesehen.

Jetzt lief er hinter einem Ball her, aber nicht mehr im Schlafzimmer, sondern im angrenzenden Flur, und ich konnte ihn durch die Wand hindurch beobachten!

Dann kam er zu mir ans Bett zurück. „Mami, hast du das gesehen. Ich bin gesund. Ich kann alles machen, alles was ich will. Ich denke es einfach nur und schon passiert es. Mami, bitte weine nicht mehr. Mir geht es gut. Alles ist richtig, gib Papi einen Kuss von mir, ich muss nun wieder gehen", und weg war er.

Regungslos lag ich in meinem Bett, unfähig zu denken oder auch nur ansatzweise zu begreifen, was da gerade passiert war. Ich zupfte mich am Arm, nur um sicher zu gehen, dass ich nicht schlief. Nein, ich war wach. Aber was war passiert? Und dann fing ich an hemmungslos zu weinen, ich zitterte am ganzen Leib, war nassgeschwitzt und aufgelöst. Vor Glück, vor Staunen und vor Dankbarkeit. Mein allergrößter Wunsch, nur heimlich gedacht, niemals laut gesagt, war in Erfüllung gegangen. Ich hatte mein Kind noch einmal sehen dürfen. Und es war gesund. Gesund!

Das war alles, was ich damals wissen wollte. Und noch einmal in seine schönen Augen sehen. Jetzt war es wahr geworden. Ich konnte mein Glück nicht fassen. Irgendwie hatte es mein Junge geschafft zu mir zu kommen. Wie konnte das geschehen? Lange lag ich noch wach und grübelte über dieses Phänomen nach.

Am nächsten Morgen erwachte ich als anderer Mensch. Ich war so unbeschreiblich glücklich, niemand konnte mir dieses Erlebnis nehmen. Diese Erinnerung würde mir mein Leben lang bleiben. Und ich wusste nun mit Sicherheit, dass mein Kind gesund und glücklich war, wo immer es auch jetzt sein mochte.

Ich erzählte Walter beim Kaffee von meinem nächtlichen Erlebnis. Nun, ganz glauben mochte er es nicht. Aber etwas berührt war er davon schon. Ich sah es in seinen Augen und auch sein Verhalten war so, dass er es wohl glauben wollte.

Ich hätte Bäume ausreißen können. Ich war voller Lebenslust und wollte allen davon erzählen. Als erstes rief ich meine Mami an. Sie freute sich mit mir, wir weinten gemeinsam am Telefon.

Danach kamen meine Freundinnen dran, meine Schwester und anschließend ging ich zu meinem Opa, der im Dachgeschoß unseres Hauses wohnte. Mein Opa war nach dem Tod von Dominik in eine tiefe Krise gestürzt. Er liebte seinen Ur-Enkel heiß und innig. Dominik war für ihn die Verbindung zur Außenwelt. Selbst schon an die 80 Jahre, konnte mein Opa nicht mehr so viel unternehmen. Da bat ich ihn öfter mit dem Kinderwagen eine Runde zu drehen. Oder kurz auf ihn aufzupassen, damit ich schnell zum Dorfladen fahren konnte. Das liebten beide und beiden tat es gut. Nun, da ihm dieser Lebensinhalt genommen war, blieb er meist den ganzen Tag in seiner Wohnung und grübelte oder schlief. Er verfiel zusehends und leider machte sich auch immer mehr die Alzheimer Krankheit bei ihm bemerkbar. Oft vergaß er zu essen. Die zeitlichen Abläufe machten ihm große Schwierigkeiten. Wann immer ich ihn besuchte, kam Leben in seinen ausgemergelten Körper. Früher führten wir stundenlange Gespräche über Gott und die Welt. Ich liebte diesen Austausch, und meinen Opa liebte ich seit ich denken konnte, aus tiefstem Herzen. Und nun tat es mir weh, ihn so altern zu sehen. Noch schlimmer waren die geistigen Ausfälle und die Desorientierung.

Also ging ich nun zu Opa, um ihm vom Besuch seines Urenkels zu erzählen. Es war ein guter Tag, er war geistig in der Gegenwart und konnte meinen Ausführungen gut folgen. Er schlug die Hände vor sein Gesicht und schüttelte immer wieder den Kopf. Als er wieder aufsah, konnte ich so etwas wie Hoffnung in seinen Augen lesen. Opi war immer gläubig gewesen, wenngleich er nicht im kirchlichen Sinne gelebt hatte, so glaubte er dennoch an Gott. Schon vor Jahren hatte er seine weltlichen Dinge geregelt, war immer modern in seinen Ansichten und sah es als selbstverständlich, alles für Beerdigung und Nachlass zu regeln. An diesem Tag versprach ich ihm, dass er sich keine Sorgen zu machen brauchte, er würde in das Grab von Dominik kommen. Da war er froh und erleichtert. Schließlich war unser Friedhof total überfüllt und ein neues Grab schwer zu bekommen. Wir sprachen davon, dass Dominik bestimmt im Empfangskomitee sein würde, wenn Opa seine letzte Reise antreten würde und wir konnten auch ein paar Witzchen darüber machen. Er erzählte mir, dass er sich wünschte, seine Mama würde auf der anderen Seite auf ihn warten. Und nach meinem Erlebnis der vergangenen Nacht hielten wir beide das wirklich für möglich.

Durchstarten

Nun wurde es langsam Zeit, mir um die gewünschten Veränderungen in meinem Leben Gedanken zu machen. Noch immer war ich keinen Schritt weiter als bei der Geburt dieses Gedankens. Gut, ich hatte viel gelesen und hatte auch wirklich viel nachgedacht. Aber wie ich das nun alles in mein Leben bringen sollte, da hatte ich keinen blassen Schimmer.

Rückblickend weiß ich natürlich, dass ich schon sehr vieles verändert hatte. Alleine meine neu gewonnenen Denkweisen waren ja schon Veränderung. Außerdem hatte ich längst andere Prioritäten gesetzt, vieles sah ich mit anderen Augen. Mein Blickwinkel hatte sich verlagert. Das Meiste, das mir vor Dominiks Tod wichtig gewesen wäre, war nun völlig unwichtig geworden. Dinge, die ich vorher nicht zu schätzen wusste, waren nun wichtig und wertvoll für mich. Freundschaften zum Beispiel. Nein, nicht dass du jetzt denkst, die waren mir vorher nicht wichtig. Es war eher so, dass ich plötzlich ein Gefühl dafür bekam, wer wirklich meine Freunde waren. Nämlich die, die sich in der schweren Zeit der Trauer nicht von uns abgewandt hatten. Nicht die, die nach vielen Wochen Sendepause einfach wieder auftauchten, als wäre nicht das Geringste gewesen. Oder Fernsehprogramm. Meine Herren, was hatten wir uns oft für Filme angesehen. Mord, Totschlag, Gewalt. Jetzt tat es mir weh, so etwas zu sehen. Auch Party oder Feste bekamen einen anderen Stellenwert. Ich ging nur noch dorthin, wo ich mich wohl fühlte und schöne Gespräche möglich waren. Und zum ersten Mal in meinem Leben war es mir egal, was andere Menschen über mich dachten. Weißt du, das Gute an solchen Lebensprüfungen ist, dass dir die Leute aus deinem Umfeld sowas wie Bonuspunkte geben. Du kannst quasi alles machen, die schütteln nur den Kopf und denken vermutlich: „Sie spinnt ein bisschen, aber bei dem, was sie durchgemacht hat, ist das ja nur normal, die wird schon wieder, ist ja noch kein Jahr vorbei."

Ich hatte Narrenfreiheit, nichts wurde mir angelastet. Ich hatte ja immer die Ausrede, dass mein Kind doch erst verstorben sei …

So nach und nach kam die Veränderung wirklich und auch beständig. Ich befasste mich viel mit Gott und seiner Bibel. Las erstaunt, was da schon alles so los war, vor 2000 Jahren. Fand neue Bücher, versuchte das Gelesene umzusetzen und wurde in den Augen meiner Mitmenschen immer komischer.

Langsam kam immer mehr ein Wunsch an die Oberfläche meines Bewusstseins. Wie schön wäre es, wenn es ein Zentrum gäbe, eine Institution mit und für Menschen, die sich auch für spirituelle Hintergründe nach großen Lebensprüfungen interessierten. Die ebenfalls keinem die Schuld gaben. Die auch erkannt hatten, dass da ein großer Sinn dahinter war. Denen es so erging wie mir. Wie schön wäre es, sich mit diesen Menschen auszutauschen, gegenseitig Mut zuzusprechen und voneinander zu lernen.

Ich spitzte die Ohren, streckte meine Fühler aus, nichts. Da gab es nichts in meiner Gegend, nichts im Umkreis von vielen Kilometern, nichts.

Einzig ein paar soziale Einrichtungen, die aber wieder spezialisiert waren auf den jeweiligen „Schicksalsschlag" der Betroffenen. Nicht das, was ich mir vorgestellt hatte. Ich wollte ja nicht über den Tod von Dominik reden. Das war inzwischen durchgestanden. Die Treffen der Sozial-einrichtungen kannte ich noch aus meiner Zeit beim Arzt. Da gab es viele verschiedene Selbsthilfegruppen, die sich regelmäßig trafen. Aber das war es nicht. Nein, ich wollte über die seelischen und spirituellen Aspekte solcher Lebensprüfungen sprechen.

Wie gut es doch da war, dass mich eine Freundin *zufällig* fragte, ob ich sie zu einem Intensiv-Seminar nach München begleiten würde. Das Seminar sei sehr erfolgreich auf der ganzen Welt. Benannt nach José Silva, hieß es die Silva®-Methode. Es sollte vorrangig um das Erlernen der Bewusstseinserweiterung durch Meditation und das Umprogrammieren der eigenen Glaubenssätze gehen. Das hörte sich doch mal spannend an. Also buchte ich den Einstiegskurs für den kommenden Herbst zusammen mit meiner Freundin. Vielleicht würde ich hier lernen, mich und mein Leben positiv zu verändern.

So fieberte ich dem Seminar entgegen, freute mich darauf, dort etwas Neues zu lernen. Doch erst musste ich noch einige Monate warten.

Der Sommer zog langsam ins Land. Da beschlossen wir, eine Woche Kurzurlaub einzulegen. Die Schwestern meines Mannes hatten zusammen ebenfalls Urlaub auf Fuerteventura gebucht. Also gingen wir ins Reisebüro und organisierten alles für einen Überraschungsbesuch. Wir landeten eine Woche später, bezogen heimlich unser Domizil und gingen dann auf die Suche nach den Zimmern meiner Schwägerinnen und deren Familien. Mein Mann klopfte dort ziemlich derb und rief mit lauter, verstellter Stimme: „Aufmachen, Police, machen Sie auf!" Nach kurzem Erschrecken war die Überraschung gut gelungen und gemeinsam gingen wir zur nächsten Tür und spielten das Spiel noch einmal. Die Kinder waren ganz aufgeregt, aber noch zu klein, um sich zu wundern, warum Onkel Walter und Tante Petra plötzlich hier waren. Wir verbrachten eine gemütliche, schöne Woche, genossen leckeres Essen und unsere Freizeit, faulenzten am Strand, bauten Sandburgen und ließen unsere Seele baumeln. Nach einer Woche flogen wir alle zusammen nach Hause.

Das Leben hatte uns wieder. Die Trauer geriet immer mehr in den Hintergrund. Es tat auch nicht weh mit anderen Kindern zusammen sein. Darüber war ich froh. Ich hatte nun meine Feuertaufe hinter mir. Unbewusst war da die Angst gewesen, dass ich den Umgang und das Zusammensein mit „fremden" Kindern vielleicht nicht mehr ertragen könnte. Doch das war nicht so. Nein, es machte mir viel Freude und ich konnte es richtig genießen. Und das war gut.

Zurück aus dem Urlaub gab es ein Familientreffen mit Mami, ihrem Mann Helmut, meiner Schwester, ihrem Gatten, und auch Opi war da. Wir feierten den Geburtstag meiner Mama und Silvia, meine Schwester, kam mit einer besonderen Überraschung an. Kaum saßen wir am Kaffeetisch, sprach sie in die Runde: „Ich hab euch was zu erzählen. Petra, ich hoffe, dass du nicht traurig bist, denn ich bin schwanger. Unser Baby kommt im Frühling. Mami, du wirst wieder Omi."

Mit gesenkten Lidern beobachtete sie mich. Sie hatte Angst, mir weh zu tun. Doch die Sorgen waren unbegründet. Wir alle freuten uns so sehr für sie und ihren Mann, wünschten ihr von Herzen alles Gute für die Schwangerschaft und Geburt. Es wurde ein lustiges Fest, wir machten Pläne für das Baby und ich bot an, mal zu gucken, was von Dominiks Sachen noch alles brauchbar wäre. Im Grunde hatten wir ja die gesamte Grundausstattung eines Babys, fast neu und in keiner Weise abgenutzt. Das spart viel Geld und die Idee wurde gerne angenommen. In fröhlicher Runde quatschten wir bis tief in die Nacht.

Ein paar Tage später klingelte mich das Telefon aus meinem Mittagsschläfchen. Ich lag auf dem Sofa, verträumt griff ich nach dem Hörer und murmelte meinen Namen. Da sprang ich auch schon auf: Am anderen Ende war die Astrologin. Du erinnerst dich? *Die Astrologin*, der ich den Brief geschrieben hatte. Aufgeregt lauschte ich ihren Worten: „Liebe Frau Plößer, normalerweise mache ich das nicht, dass ich einfach mal so, aufgrund eines Briefes, anrufe. Aber Ihr Brief hat mich tief bewegt und Ihre astrologischen Daten, die Sie beigefügt haben, sind äußerst interessant. Wenn Sie möchten, rufen Sie mich zurück und ich werde Ihnen ein bisschen was zu Ihrem Horoskop erzählen." Muss ich erwähnen, dass ich sofort die Nummer notiert und zurückgerufen habe?
Ich schreibe hier nun meine Originalnotizen, die ich während des folgenden Gespräches aufgezeichnet habe:

„Ihre (meine) Aspekte im Horoskop sind mit Tod konfrontiert. Dominik hatte 9 von 10 Elementen unter Horizont. Er war in sich gekehrt und nur mit sich beschäftigt. Er hat sein Leben so gewählt, um sein Karma abzuschließen, dieses ist nun beendet, er wird wohl nicht wieder inkarnieren.
Am Anfang dieses Jahres bestand große Trennungsgefahr für Sie und Ihren Mann, diese ist jetzt vorüber, Sie sollten dringend Urlaub machen.
Ein Aspekt in Ihrem Horoskop birgt eine große Suizid-Gefahr - geben Sie dem niemals nach! Damit stören Sie

die Weiterbildung im Universum und auch alle göttlichen Verbindungen. Sie sollten nichts mehr festhalten wollen, und Sie sollten den Dingen ihren Lauf lassen und alles loslassen.

Sie sind ein Rohdiamant im spirituellen Sinn, sehr medial veranlagt, sehr sensibel. Sie reagieren auf Ihre Umwelt und die Natur sehr stark. Alkohol und Nikotin behindern Sie. Sie sollten spirituell an sich arbeiten, unbedingt meditieren, das wird Ihnen weiterhelfen. Dann könnten Sie zur absoluten Erkenntnis kommen und weiter wachsen. Viele Fische-Aspekte. Sie sind ein sehr feinstofflicher Mensch. Sie sollten sich Menschen suchen, die spirituell veranlagt sind. Erweitern Sie mit Büchern Ihr Wissen, denn Sie könnten anderen Menschen helfen, ihre Schicksalsschläge zu überwinden. Gehen Sie in die Natur und sprechen Sie mit Gott und seinen Engeln. Folgen Sie Ihrem Gespür und Ihren Eingebungen. Verwerten Sie Ihre schlechten Erfahrungen in den letzten Monaten für sich auf positive Weise. Sie haben sich diese Erfahrungen bereits vor Ihrer Geburt ausgesucht. Ich sehe keine Blockaden für ein weiteres Kind.

Durch Meditation werden Sie Ihr Leben in den nächsten Jahren gut in den Griff bekommen. Beruflich sollten Sie unbedingt mit Menschen arbeiten, denen es schlecht geht. Ein Beruf im sozialen Wesen ist Ihr Schicksal. Sie können gut mit Menschen umgehen. Sie sind ein Mensch, der immer an das Gute im Menschen glaubt, bitte geben Sie durch Enttäuschung niemals auf. Sie brauchen viel Bewegung, aber auch sehr viel Schlaf. Sie sind gesellig, aber gehen immer wieder in Ihren Rückzug. Es kann sein, dass Sie in den nächsten Jahren durch viel Übung, Wissen und Ausdauer mit der geistigen Welt kommunizieren können, vielleicht auch mit Dominik.

Suchen sie sich bald einen Medikationskurs, vielleicht bei der Volkshochschule. Verfolgen Sie konsequent Ihre Ziele. Bei Antriebsschwäche und Lustlosigkeit sollten Sie sich hinlegen und meditieren.

Umgeben Sie sich mit älteren, erfahrenen Menschen, führen Sie viele Gespräche mit diesen Personen.

Bei Schicksalsschlägen wächst der Mensch über sich hinaus, das war bei Ihnen der Fall.

So, das war es, liebe Frau Plößer, ich wünsche Ihnen viel Kraft und Erfolg auf Ihrem Weg und alles Gute für Ihren Mann."

Ich selbst kam dabei fast gar nicht zu Wort, vermutlich hatte sie sich das alles notiert und es nun vorgelesen.

Noch lange hielt ich den Hörer in der Hand, gefesselt von dem eben Gehörten. Sollte das wirklich wahr sein? Ich konnte es nicht fassen. Was diese Frau alles gesagt hatte, das fühlte sich alles so richtig, so stimmig an. Aber ich eine spirituelle Frau, ein spiritueller Rohdiamant? Nein, also sowas. Ich hatte von diesen Dingen keinerlei Kenntnis. Für mich sprach sie in Rätseln. Die Hälfte von dem Gesagten verstand ich noch nicht mal ansatzweise. Aber eine Aussage wand sich durch mein Hirn: „Ich sehe keine Blockade für ein weiteres Kind." Dieser Satz gefiel mir am besten. Und um ehrlich zu bleiben, das war es auch, was ich in diesem Moment hören wollte, all die anderen Dinge, die sie mir gesagt hatte, waren für mich nicht so sehr von Bedeutung. Obwohl es sich mit meinem Gefühl deckte, dass wir uns das alles selbst irgendwie aussuchen, dass es einen Plan gibt. Doch was die spirituellen Hinweise betraf, da war direkt ein beklommenes Gefühl.

Denn diesen Aussagen konnte ich niemals gerecht werden. Und dann – hätte ich dann wieder versagt, meinen Lebensplan vermasselt? Das gefiel mir gar nicht. Es hörte sich gerade so an, als sollte ich bei Buddha in die Lehre gehen. Um für den Rest meines Lebens fünfmal am Tag im Lotussitz gen Osten zu beten, weise Worte zu sprechen und mich mit dem Leben der anderen auseinanderzusetzen. Nee, ich hatte mit mir selbst genug zu tun!

Urlaub sollten wir machen. Nun, da traf es sich ja gut, dass uns Antonio und Waltraud nach Italien in ihr Haus eingeladen hatten. Diesen Part konnte ich schon mal erfüllen. Suizid? Auch kein Problem, mache ich bestimmt nicht! Meditieren? Passt, hatte ja im Herbst meinen Kurs gebucht. Was war noch? Ha, schlafen, wenn ich müde bin. Kein Problem, das tat ich immer sehr ausgiebig. Da hatte mich die Astrologin gut erkannt. Gesellig war ich, wenn ich danach wieder Rückzugsmöglichkeiten bekam, stimmte auch. Interessant war auch ihre Anmerkung zum sozialen Beruf. Den hatte ich ja. Ich bin ausgebildete Arzthelferin. Und in allen Arbeitszeugnissen wurde meine soziale Ader besonders hervorgehoben. Ich half wirklich gerne, besonders denen, die sozial schwach, gebrechlich oder eben hilfsbedürftig waren.

Die Astrologie war für mich bis dato das, was man über Sternzeichen allgemeinhin so sagte.

Langsam schwante mir, dass man in den astrologischen Daten einer Person ziemlich viel herauslesen konnte, zumindest wenn jemand sein Handwerk verstand. Ich hatte enormen Respekt vor dem Können dieser Astrologin und war sehr dankbar für dieses Geschenk.

Langsam rückte der geplante Urlaub nach Italien immer näher. Wir wollten mit zwei Autos fahren, da Waltraud,

Antonio und die Kinder länger weilen würden. So packten wir also unsere Siebensachen und machten uns nachts um zwei Uhr auf den Weg. Eine lange Reise lag vor uns, eingeplant waren 14 Stunden. Kalabrien war unser Ziel, die Heimat von Antonio. Wir durften bei ihnen wohnen und er wollte uns sein Land zeigen und uns der Familie vorstellen.

Schön war es hier, richtig schön. Ganz anders als die Gegenden in Italien, die wir bereits kannten. Hier würden wir uns wohl fühlen.

So war es auch. Antonio spielte für uns den Fremdenführer, zeigte uns seine Heimat mit den Augen der Einheimischen und brachte uns zu wunderschönen Orten und Landschaften. Seine Familie hieß uns warm und herzlich willkommen. Walter spielte mit Antonios Freunden Fußball, unterhielt sich mit Händen und Füßen, da wir beide der italienischen Sprache nicht mächtig sind.

Die Abende verbrachten wir mit den Kindern auf der Terrasse mit Malen oder Spielen. Das Haus war traumhaft schön und modern gestaltet. Außer einer Spülmaschine vermisste ich nichts. Gerne spaßen Waltraud und ich noch heute darüber, wie viele Stunden wir in diesen Wochen gemeinsam in der Küche verbrachten. Wir schnippelten Gemüse, sangen, lachten und spülten und spülten. Denn auf eines legte Antonio großen Wert: Anständiges, opulentes Essen. Vorspeise, Hauptgang, Dessert, Kaffee, Käse. Zugegeben, ich mochte das auch. Wir speisten wie Gott in Frankreich. Gemüse, Kräuter und Obst aus dem Garten. Frische und gute Qualität. Meist wurden die Kinder noch extra bekocht, da sie das Essen der Erwachsenen nicht mochten. Also hieß es für Waltraud und mich Unmengen von Geschirr, Kochutensilien und Besteck zu spülen. Muss ich noch erwähnen, dass oft

Besuch bei den Mahlzeiten zugegen war, wie das in Italien der Brauch ist?

So ließen wir für zwei Wochen die Seele baumeln. Verbrachten viel Zeit am Strand, kochten leckere Mahlzeiten und genossen das süße Nichtstun. Doch auch die schönste Zeit ist einmal vorbei. Viel zu schnell war der Urlaub zu Ende. Wir verabschiedeten uns von unseren Freunden, diese durften noch ein paar Wochen länger verweilen. Waltraud war ja in Elternzeit und Antonio sparte immer seinen gesamten Jahresurlaub für den Sommerurlaub in Italien.

Wendepunkt

Nun war es endlich soweit. Aufgeregt saßen wir in einem großen Raum, ca. 40 Menschen waren anwesend. Zunächst wurden wir ausführlich aufgeklärt, worum es sich bei diesem [ii]Intensiv-Seminar handelte. Was wir lernen würden, wie und warum uns das in unserem weiteren Leben helfen könnte. Es hörte sich wirklich sehr spannend an. Es ging um Bewusstseinserforschung, um Gedankenkräfte, um Energien, die man einsetzen kann, um sein Ziel zu erreichen. Und eh ich mich versah, paukten und übten wir schon, bis die Köpfe rauchten. Am ersten Tag wurde von uns „nur" verlangt in den Alphazustand zu gehen. Das ist der Zustand, in dem du morgens, noch im Halbschlaf, in dein Badezimmer tappst, oder am Abend im Bett zwischen Schlafen und Wachen bist. Du kennst das sicher, man erschrickt bei einem Geräusch, ist dann völlig wach oder es reißt dich, kurz bevor du in den Schlaf hinüber segelst. Diesen Zustand kann man bewusst herbeiführen. Dazu hat José Silva eine Technik entwickelt. Nach dieser Technik paukten wir den ersten Tag. Und das war sehr anstrengend. Doch bereits nach der Mittagspause konnten wir alle, geführt von der Seminarleiterin, bewusst in diesen Zustand versinken. Im Alphazustand lernten wir dann, uns und unsere Glaubenssätze positiv umzuprogrammieren, neue und hilfreiche Prägungen einzuspeichern und unser *Bauchgefühl* zu befragen.

Dieses Seminar hat mein Leben verändert. Zum ersten Mal konnte ich spüren, was die Astrologin meinte mit ihren Aussagen bezüglich meiner Medialität. Ich durfte tiefgreifende Erfahrungen machen. Besonders am letzten

Tag. Da ging es darum, in tiefer Meditation für jemanden im Raum eine Aussage zu machen. Bezüglich der Gesundheit, des Aussehens oder der Lebensumstände. Diese Übung wurde mit einem Partner gemacht. Der „Seher" wurde von seinem Gegenüber in die Meditation hineingeführt. Der „Lenker" der Mediation hatte einen Zettel in der Hand, mit dem Namen eines anderen Teilnehmers vom Seminar. Auf dem Zettel standen Name, Wohnort, körperliche Beschwerden. Als ich an der Reihe war, wurde ich von meiner Freundin in den Alphazustand geführt. Sie fragte mich, ob ich ihr etwas zu der Person XYZ sagen könnte, die Informationen standen auf dem Zettel in ihrer Hand. Außer dem Wohnort und dem Namen erfuhr ich nichts über diese Person. Doch sofort „sah" ich vor meinem inneren Auge einen jungen Mann, mit all seinen körperlichen Defiziten, ich erkannte das Alter und auch, wie er aussah. Das schrieb nun meine Freundin für mich alles auf. Woher ich das nun wusste, hätte ich nicht sagen können. Natürlich war ich fest davon überzeugt, dass mir meine Fantasie einen Streich gespielt hatte. Dennoch war dieser Mann für mich völlig real zu „sehen", und er „sagte" mir sogar etwas über sich, gab mir eine Botschaft und bat mich, diese für ihn weiterzugeben. Am Ende der Übung, als alle fertig waren, suchte sich jeder den Inhaber seines Zettels. Bei mir war es eine Frau. Da war ich erst mal enttäuscht. Als sie die Notizen meiner „Durchsagen" las, geriet sie völlig aus dem Häuschen. Die Person, die ich gesehen hatte, sei ihr Sohn. Er leide an spastischen Lähmungen und Anfällen. Alles was ich „sah", war richtig. Selbst die Frisur stimmte, das Alter ebenfalls. Die Durchsage, die ich von ihm bekam, war für seine Mutter. Du glaubst mir sicher, dass wir zusammen weinten, als sie mir sagte, dass diese Worte für sie unglaublich wichtig seien, die Worte ihr die Kraft gäben, weiterzumachen wie bisher. Es sei die Ermutigung, dass sie sich ihrem Sohn gegenüber richtig verhielt und die Mitteilung, dass er glücklich sei, machte nun die Frau glücklich. Er könne sich ihr nämlich nicht so mitteilen, da er auch geistige Defizite habe.

Wow, das sprengte nun alle meine Erwartungen, obwohl ich ja gar keine hatte. Denn so richtig vorstellen konnte ich mir das alles nicht wirklich. Dennoch geschah es, und es war real.

Und dass hier kein falscher Eindruck entsteht: ALLE aus diesem Kurs hatten ähnliche Erlebnisse und Treffer, ALLE. Der Kurs war ein voller Erfolg für die Teilnehmer und mit einigen blieb ich in Verbindung.

Zufällig lernte ich dort eine Frau aus meiner näheren Umgebung kennen. Diese kannte wiederum ein Medium, das Durchsagen aus der geistigen Welt machte. Natürlich bekam ich sofort einen Termin für den nächsten Demoabend. *Zufällig* war dieser bereits im nächsten Monat geplant.

An diesem Wochenende hatte sich mein Leben um 180 Grad gedreht.

Von nun an übte ich täglich. Wann immer ich Ruhe und genügend Zeit hatte, machte ich mich an meine Alphaübungen. Zu meiner Freude klappte es wirklich, auch ganz alleine, ohne Führung. In der Abschlussübung im Seminar hatten wir aus unserem Unterbewusstsein um zwei geistige Berater gebeten. Ziel war es, mit diesen geistigen Beratern die Probleme gemeinsam anzugehen, sich inspirieren zu lassen und auch Hinweise oder Vorschläge über das weitere Vorgehen zu erhalten. Meine Berater waren eine Frau und ein Mann, auch die Namen wurden mir mitgeteilt. Aladin und Myrtha hießen die beiden. Du kannst gerne lachen, ich tat es auch. Natürlich glaubte ich auch hier wieder an Hirngespinste. Allerdings bekam ich in der folgenden Zeit sehr praktische und hilfreiche Tipps, da war es mir egal, ob die nun meiner Fantasie entsprangen oder ob es echte, geistige Freunde waren. Ich übte also jeden Tag und notierte mir alle Sitzungen mit Datum und den jeweiligen Aussagen oder Hinweisen, die ich erhielt. Oftmals wurde ich auch ermahnt, ein bisschen geschimpft oder aufgeheitert. Immer erhielt ich Mitteilungen, die meine Fragen im Kopf beantworteten. Aber das „Gespräch" leiten konnte ich nicht. Ich war sozusagen Zuschauer oder Zuhörer, da ich sowohl hörte, als auch mit meinem inneren Auge sehen konnte.

Was mir damals bald auffiel, waren die Zeiten, die ich in der Meditation verbrachte. Oft hatte ich das Gefühl, ich wäre nur ein paar Minuten mit meinen Beratern zusammen gewesen, dabei waren es oft halbe Stunden, manchmal noch länger. Dann wieder meinte ich, ich hätte Stunden in meinen inneren Welten verbracht, in Echtzeit waren es nur ein paar Minuten. Zeit war wohl doch relativ, begreifen konnte ich diese Zeiteindrücke aber nicht. Einige Wochen nach dem Seminar hielt ich mich wieder einmal in meinem Inneren auf, da hatte ich ein Erlebnis der besonderen Art. Wie immer musste ich darauf warten, dass sich meine Berater vor mir zeigten. Dieses Mal ließen sie mich lange warten, ich hatte das Gefühl, dass ich schon ewig auf ihr Erscheinen hoffte, da kam endlich Myrtha und ermunterte mich, Fragen zu stellen. Nun schreibe ich wieder aus meinen Originalnotizen.

Meine erste Frage lautete: „Wäre es sinnvoll für mich, wieder arbeiten zu gehen, mir eine neue Stelle zu suchen?" „Nein, bald wird wieder ein Baby zu euch kommen", war die Antwort. Myrtha bittet mich nun zu beten, was ich auch sofort tue: „Lieber Gott, bitte verzeihe mir, ich war so enttäuscht wegen der vielen Dingen, die uns widerfahren sind, bitte sei mir nicht böse, dass ich dich so vernachlässigt habe, dass ich wütend war auf dich und die Engel, bitte verzeih mir."

Da erscheint vor meinem geistigen Auge ein … nun was? Ein Engel? Groß, strahlend und diffus. Seine Energie ist mächtig und seine Ausstrahlung sehr liebevoll. Er spricht mich an: „Alles musste so sein. Doch du hast es alles gewusst, es gehörte zu deinem Seelenplan. Darauf antworte ich: „Dominik fehlt mir so." Der Engel erwidert, dass mein Sohn immer bei mir sei. In diesem Moment erscheint Dominik, kommt auf mich zu und umarmt mich ganz fest. Er hat dunkle Locken und ist vollkommen gesund. Er flüstert mir ins Ohr, dass es ihm gut geht. Der Engel sagt mir, dass ich diese Erfahrungen machen musste, dass mich Gott liebt und ich dieses Silva-Seminar brauchte. Er erzählt mir, dass ich mit einem Mädchen schwanger werde und dieses Kind mich lehren wird, den Weg des Lichts zu gehen. Derweil streichelt Dominik meinen Bauch und sagt zu mir: „Ich bekomme eine Schwester." Ich frage den Engel nach seinem Namen und erhalte als Antwort: „Ich bin dein Schutzengel und mein Name ist Shiva. Ich kann dich erst jetzt, nach deinem Lehrgang, erreichen, da du vorher keine Antennen für mich hattest. Du bist wichtig, deine Aufgabe ist wichtig. Deine Leidenszeit ist nun vorbei." Da frage ich nach Walter und Shiva antwortet: „Er wird dich dein Leben lang begleiten."

Dominik wird aufgefordert, mich jetzt alleine zu lassen. Noch schnell erzählt er mir: „Die Omis und Opis sind bei mir und auch die Tante. Mami, ich liebe dich." Ich bekomme noch ein Küsschen auf den Mund. Ich spüre es!!! Dann ist er weg. Shiva kommt nun nahe zu mir heran und erklärt mir, wie wichtig es ist, dass ich immer weiterlerne. Dass Lernen für mich *sehr* wichtig ist, um mich seelisch weiterzuentwickeln. Dass ich glauben soll, niemals zweifeln darf. Da will ich wissen, ob ich mir wirklich keine Arbeit zu suchen brauche und werde sofort wieder darauf hingewiesen, dass ich *vertrauen* soll. Dann verabschiede und bedanke ich mich. Ich war ungefähr eine Dreiviertelstunde in Meditation und musste sehr weinen.

Danach war ich in Krisenstimmung. Wie gerne wollte ich das alles glauben, wie sehr hoffte ich, dass dies die Wahrheit wäre. Deshalb schrieb ich unter dieses Erlebnis folgende Worte:

„Ich weiß nicht, was ich von all dem halten soll. Ist das meine Fantasie, Wunschdenken, Spinnerei? Ist es die halbe Wahrheit mit einem Schuss Selbstbetrug? Oder ist das doch alles wahr. Ist es eine andere Wirklichkeit? ICH WEISS NICHT!!!"

Wulfius

Wulfius war der Name der Wesenheit, die das Medium channeln wollte. Channeln ist ein neuzeitlicher Begriff. Damals hieß es einfach, dass das Medium Botschaften für uns durchgibt, eben von diesem Wulfius. Wulfius sei eine Engelgestalt und sehr verbunden mit dem Medium. Geben wir der Frau einfach mal den Namen Maria. Maria war also gekommen, hatte einen Kreis mit Stühlen gezogen, in der Mitte eine Kerze und ein Tonbandgerät. Das Ganze sollte folgendermaßen ablaufen: Zunächst würden wir ein Gebet sprechen, jeder für sich, um Ruhe einkehren zu lassen. Dann würde reihum jeder eine Frage stellen, die Antworten würden komplex und nicht nur mit ja oder nein gehalten werden. Alles würde als Beweis und zur späteren Überprüfung auf Band aufgezeichnet werden, eine Kopie konnte jeder für ein paar D-Mark kaufen.

Alle waren sehr gespannt und auch ein bisschen aufgeregt. Da man nur eine einzige Frage stellen durfte, überlegte ich hin und her, was ich denn nun am dringlichsten wissen wollte. Überhaupt wollte ich eine besonders clevere Frage stellen, damit nicht eine Wischi-Waschi-Antwort kommen konnte. Die Frage wollte ich so stellen, dass die Antwort nicht so leicht ersichtlich wäre. Da hatte ich die Idee.

Das Medium übermittelte nun nach und nach die Antworten, die ihr Wulfius eingab. Wirklich sehr gute, glaubhafte und für die meisten Anwesenden stimmige Antworten. Maria hielt die Augen geschlossen und sprach mit leiser Stimme. Bevor sie die Antwort gab, „hörte" sie kurz in sich hinein, als lauschte sie selbst auf die Worte von Wulfius. Als ich an der Reihe war, kam ich mir sehr listig vor: „Wie und wann wird sich mein größter Wunsch erfüllen?" Kurzes Lauschen nach innen, dann die Worte: „Wenn du Demut und Geduld erlernt hast, wird sich die Seele einfinden."

Und schon kam die Nächste dran. Wow, das muss man sich mal vorstellen. Da hatte ich so eine clevere Frage gestellt. Schließlich konnte mein größter Wunsch ja alles Mögliche sein. Ein Auto, eine Wohnung oder ein neuer Arbeitsplatz. Oder schlichtweg Geld, Reichtum, die große Liebe. Aber nein, Wulfius spricht von einer Seele. Tatsächlich war meine Frage auf eine erneute Schwangerschaft bezogen. Ich war ziemlich durcheinander, direkt aufgewühlt, etwas hatte mir die Laune verdorben. Deshalb machte ich mich auch nach der Demonstration gleich auf den Heimweg und ließ den angedachten, späteren Umtrunk sausen. Die Kassette sollte mir in ein paar Tagen zugesandt werden.

Die Aussage stieß mir sauer auf, gefiel mir gar nicht. Wenn das *so* war, konnte ich mir ein Kind aus dem Kopf schlagen.

DEMUT? Demut hatte sie gesagt. Hörst du mich kreischen? Ja spinnt die denn? Demut, das ist doch was für Kirchenmuftis, ein alter Zopf! Nichts für moderne Menschen wie mich. Demut, also weißt du. Das war das Allerletzte. Und Geduld. Nun ja, da hatte sie den Nagel auf den Kopf getroffen. Daran haperte es bei mir wirklich sehr. Hatte Shiva ja auch schon oft davon gesprochen. Ob „die da oben" sich womöglich alle kannten? Doch wieso war das für die Seele wichtig, die zu uns kommen wollte? Gut, ich war schon sehr oft sehr ungeduldig, im Gegensatz zu Walter war ich ein brodelnder Vulkan. Man konnte nie wissen, wann ich explodieren würde. Walter dagegen hatte Geduld für zehn. Bisher sah ich das immer als guten Ausgleich. Er bekam von mir ab und an einen Tritt, dafür zügelte er oft meine Ungeduld. Ist doch perfekt, oder? Doch vermutlich wollte unser zukünftiges Kind das anders haben. Eine demütige, geduldige Mutter. Na bravo, das war unmöglich zu schaffen! Also doch kinderlos. Was sollte das überhaupt? War ich nicht schon demütig geworden? Hatte ich nicht alles in Demut ertragen, mein Schicksal angenommen? Was wollten „die da oben" denn noch für Kunststückchen von mir?

Ich war entrüstet über so viel … so viel … ja was eigentlich? Unsinn? Prüfungen? Frechheit? Genau das war es: Eine Frechheit, sowas von mir zu verlangen, wo andere immer alles geschenkt bekommen! Ich grübelte und nörgelte: „Das mit der Geduld würde ich vielleicht schaffen. Aber Demut? Ts, Ts, sollten sie sich lieber mal auf meine Stärken besinnen, die da wären: Mutig, fleißig, gerecht, tatkräftig, hilfsbereit, ehrlich …"

Und da brach mein Widerstand zusammen. Meine Wahrheitsliebe ist sehr ausgeprägt. Noch nie konnte ich mir selbst in die Tasche lügen. Deshalb musste ich nun vor mir zugeben, dass ich vieles bin, viele gute Eigenschaften habe, aber demütig war ich nie. Demut verlangt Vertrauen, Glauben und geschehen lassen. Ich dagegen hatte lieber das Ruder selbst in der Hand, wollte führen, wissen, leiten und bestimmen. „Kontrollieren" trifft es wohl am ehesten. Na gut, war ich eben nicht demütig. Dafür war ich jetzt bockig, beleidigt und grantig!

„Was da von mir verlangt wird, ist schier unmöglich. Aus, basta, finito!"

Mein Gedanken-Karussell drehte sich weiter: „Obwohl Vertrauen ja schon schön wäre. ‚Geschehen lassen' fühlt sich gut an. Verantwortung nur noch für meine irdischen

Belange übernehmen. ‚Glauben leben' würde mir auch gut gefallen."

In meinem Kopf tobte ein Wirbelsturm. Etwas in mir sehnte sich danach, Gott das Ruder für mein weiteres Leben zu überlassen. Sich um nichts mehr kümmern zu müssen. Ich fühlte, dass er der bessere Kapitän für mein Lebensschiff wäre, mit Routenplan und dem nötigen Überblick für mein Leben.

„Wenn ich nun demütig einfach alles *ihm* überlasse, egal, was noch kommen mag, wäre das nicht um vieles leichter?" Irgendwie wollte ich auch nicht mehr wollen, planen und wünschen. Gott wusste es sowieso besser. Er kannte meinen Lebensplan.

Umso länger ich über dieses Thema nachdachte, desto besser konnte ich mir vorstellen, demütig zu werden. Meine Gedanken wurden ruhiger, mein Inneres sträubte sich nicht mehr so, und ich streifte langsam mein Gefieder wieder glatt.

„Wenn du die Demut erfahren möchtest, übe dich in Bescheidenheit!" Was war das denn? Woher kam die Stimme? Schnell sah ich mich im Wohnzimmer um. Niemand zu sehen. Aber ich hatte doch ganz deutlich eine Stimme gehört!

„Jetzt spinnst du!", dachte ich, „Das darf ich gar keinem erzählen, die weisen mich noch in die Anstalt ein." Aufmerksam lauschte ich. Nichts. Nichts und Niemand. Was also hatte ich gehört? Na egal, immerhin hatte ich jetzt einen Hinweis darauf erhalten, wie ich das mit der Demut in Angriff nehmen konnte. Bescheidenheit also. „Nun gut. Das könnte leichter zu schaffen sein. Müsste ich ja nur ein bisschen kürzer treten und meine Ansprüche etwas herunterschrauben", dachte ich bei mir.

Am Abend desselben Tages betete ich zu Gott: „Lieber Gott. Ich bin es so leid, immer alles selbst bestimmen zu müssen. Bitte, bitte hilf mir! Ich habe beschlossen, die Demut zu lernen. Und jemand hat zu mir gesagt, dass ich mit Bescheidenheit beginnen soll. Lieber Gott, ich mag nicht mehr. Du weißt ja eh alles viel besser als ich. Ich möchte so gerne ein Schaf in deiner Herde sein. Ich möchte so sehr, dass ich vertrauen kann. Ich bin so traurig und auch so aufgewühlt. Jetzt hab ich es satt. Ich mag nicht mehr kämpfen, nicht mehr bestimmen, ich mag nicht mehr wollen. Ab jetzt überlasse ich dir das Sagen, du kannst bestimmen. Ich werde darauf vertrauen, dass alles wieder ins Lot kommt. Ich sage dir aus vollem Herzen: Dein Wille geschehe! Deiner, nicht meiner! Okay? Mir ist es auch egal, ob wir noch ein Kind bekommen. Wenn du der Meinung bist, dass wir keine Kinder haben sollen, gut, kann ich nicht ändern. Ist akzeptiert! Also, dann bitte ich dich, beschütze mich und meine Familie vor weiteren Tragödien und hilf uns, wenn wir nicht mehr weiter wissen. Bitte, bitte führe uns! Ab jetzt bist du der Chef! Amen."

Die Tränen liefen mir übers Gesicht.

Ich meinte es sehr ernst und das Gebet kam aus tiefstem Herzen. Wenngleich ich damals noch nicht wusste, wie ich meine Absichten in die richten Worte verpacken sollte. Ich bin mir sicher, es wurde wohlwollend registriert.

Wandel

Mithilfe meiner vielen Bücher, die ich zwischenzeitlich mein Eigen nannte, suchte ich mir passende Informationen zum Thema Bescheidenheit und Demut. [1] Da hieß es zum Beispiel: „Bescheidenheit beginnt im Kopf. Demut verlangt absolutes Annehmen und Vertrauen. Nur wer seine Gedanken und Taten konsequent dahingehend kontrolliert, welche Wirkung diese auf seine Mitmenschen haben, wird sich die Quelle des inneren Seins erschließen können. Unsere Seele kennt den Weg, lass dich führen und du wirst den Himmel auf Erden finden." Aha, das hörte sich anstrengend an. Meine Gedanken und Taten zu prüfen auf die Auswirkung auf andere fand ich ziemlich doof. Wer schaute schon darauf, welche Wirkung es auf mich hatte, wenn jemand gemein zu mir war? Dennoch begann ich, mich selbst zu kontrollieren Das konnte schließlich nicht schaden. Und den Tag vertreibt es auch. Auch gegen den Himmel auf Erden wäre nichts einzuwenden. So sagte ich zu meiner Seele: „So, liebe Seele, jetzt versuche ich mal herauszufinden, was du eigentlich von mir willst. In meinen Büchern steht, die Seele hat einen Plan. Und die Aufgabe der Menschen würde darin bestehen, diesen Plan zu verwirklichen. Was willst du also von mir?" Natürlich bekam ich keine Antwort. Hab ja schon geschrieben, dass ich eine komische Seele habe. Immer beleidigt und selten gut drauf. Und jetzt, wo ihre große Stunde gekommen war … Nichts. Wieso sagt die mir denn nicht, was sie will? Umso schneller könnte ich das für sie in

---

[1] ich zitiere hier kein bestimmtes Buch, sondern sinngemäß die Aussage vieler gelesener Bücher

Ordnung bringen und wir hätten beide wieder unsere Ruhe. Ein bisschen Unterstützung hätte ich mir schon erwartet. Schließlich ging es ja vorwiegend um die Ansprüche, die meine Seele ständig stellte. Aber nein! Keine Antwort, keine Hinweise, keine Hilfe. So musste ich mich damit begnügen, meine Gedanken zu steuern und mein Ego zu bändigen. Das stand auch in den Büchern: „Demut kennt kein Ego." So völlig Ego-frei konnte ich mir mein Leben allerdings nicht vorstellen. Ich mochte mein Ego. Schließlich hatte es mir schon viele Male in brenzligen Situationen geholfen. Gut, oft blähte es sich auf und strotzte nur so vor Kraft. „Ohne Ego ist man doch kein Mensch mehr", nörgelte ich. „Wenn dann auch noch der Verstand paralysiert wird, was bleibt dann?" Aber ich hatte mich nun einmal darauf eingelassen. Und was eine Petra anfängt, bringt sie auch zu Ende. Das ist eine meiner guten Eigenschaften. So schnell gebe ich nicht auf. Gut, dass ich damals nicht wusste, dass ein Ende niemals in Sicht ist, und dass das eine Lebensaufgabe wird, sonst hätte ich vermutlich erst gar nicht angefangen!

Nach Wochen des Übens und Lernens, des achtsamen Umgangs mit meinen Gedanken und Taten, war ich dermaßen ausgelaugt, dass ich aufgeben wollte. Aber aufgeben? ICH? Niemals! Also machte ich weiter. Und irgendwann begann mir diese Arbeit - ja, es war harte Arbeit - Spaß zu machen. Plötzlich konnte ich Dinge wahrnehmen, die mir vorher verschlossen waren. Ich begann Zusammenhänge zu erkennen. Konnte die „wahren" Gründe meiner Aktionen und Taten und die meiner Mitmenschen erkennen. Ich begriff das Opfer- und Täterspiel. Erkannte die Beweggründe und Wirkungsweisen unser aller Spielchen. Analytisch beobachtete ich mich selbst und die Menschen in meiner Umgebung. Wie ein Arzt in das Mikroskop schaut, so versuchte ich, die Dinge zu sehen, die nicht zu sehen waren. Es war spannend und erschütternd zugleich! Wie gerne würde ich jetzt schreiben, dass ich mich nun nach und nach zu einem liebenswerten, huldvollen Wesen entwickelte, doch die Wahrheit ist: Das Gegenteil war der Fall. Ich konnte die Gesetze von Ursache und Wirkung nun zwar verstehen, das Umsetzen gelang mir jedoch nicht. Jeder Versuch, mich zu ändern, endete zuletzt mit einem Streit, Ärger oder Tränen. Ich war dem hilflos ausgeliefert, konnte es nicht lassen, um mich zu treten. War zornig, aggressiv und verletzend. Die, die ich liebte, mussten unter meinen Launen leiden; die, die ich nicht mochte, ließ ich es deutlich spüren. Ich war ungerecht, übellaunig und missmutig. Mittlerweile war ich mir meiner eigenen Bedürfnisse bewusst geworden, ebenso meiner Glaubenssätze, Muster und Prägungen. Die wollte ich ausmerzen, mich befreien aus antrainierten Verhaltensweisen. Ich wollte mich nicht mehr verstellen, dafür mein Leben nach eigenen Maßstäben gestalten. Je bewusster mir wurde, dass ich in ganz alltäglichen Dingen wie Kleidung, Haarschnitt oder Wissensstand die Anerkennung meiner Mitmenschen suchte, umso aufgebrachter wurde ich. Ich empfand mein ganzes Leben als unerträglich, fühlte mich wie ein Vulkan kurz vor dem Ausbruch. Meine Lieben mussten ziemlich viel ertragen und gingen immer mehr auf Distanz. Schließlich konnte man nie wissen wie ich drauf war. Sie empfanden mich als ungerecht, hart und widerborstig. Mir selbst war ich allerdings das größte Rätsel. Ohnmächtig war ich diesem emotionalen Chaos ausgeliefert. Dabei entsprang das alles nur dem Wunsch, mich zu verändern. Doch ich tat es mit Wut im Herzen und versuchte mit Gewalt, diese Veränderungen herbeizuführen. Ich war auf der Suche nach mir selbst. Alles, was ich fühlte und wusste, war, dass ich ein Leben lebte, das ich von Grund auf ändern wollte. Irgendwie und möglichst bald. Und das in allen Lebensbereichen.

Gefangen in mir, ohnmächtig und traurig, nahm ich das alles zur Kenntnis. Doch was half es mir, wenn ich keinen Weg finden konnte, auf liebevolle und freundliche Weise ein neues Miteinander zu gestalten. Da wäre es sicher das Beste, das Ganze abzubrechen und weiterzumachen wie vorher. Das wäre Schadensbegrenzung, bevor alles den Bach runtergeht. Meine Ehe litt ebenfalls unter meinem Gefühlschaos. Walter zog sich immer mehr von mir zurück und ging nur noch seiner Arbeit nach. Wir hatten unsere gemeinsame Basis eingebüßt, und ich war daran schuld! Viele Wochen, ja Monate, ging das so, einfach grauenvoll. Ich litt und versank in tiefes Selbstmitleid. „Warum nur kann mich keiner verstehen?", dachte ich oft.

„Was kann so falsch daran sein, wenn ich mich verändern möchte? Ich will doch nur raus aus den Glaubensmustern von *Du musst, Du sollst, Du darfst nicht, Das tut man nicht, Das tut man schon, Das gehört sich nicht ...* Wer weiß schon, was richtig oder falsch ist?"

Ich kam und kam nicht weiter.

Wie sehr wünschte ich mir in dieser Zeit meine Seele als Verbündete. Doch während mein Verstand und Ego immer etwas zu melden hatten, kam von meiner Seele nichts. Nichts! Keine Hilfe, kein Ratschlag, kein Trost. Wieso nur ließ mich meine Seele so im Stich?

Ich vernachlässigte meine Meditationen und kaufte mir noch mehr Bücher. Irgendwo musste es doch einen heißen Tipp geben, wie ich aus diesem Schlamassel wieder herauskommen konnte. Eines wusste ich sicher: „Wenn ich so weitermache, zerstöre ich mein Leben." Opa war in dieser Zeit oft mein Strohhalm. Wann immer bei mir das Chaos tobte, ging ich zu meinem Opa zum Reden. Er verstand mich ohne Worte. Natürlich machte er sich seine Gedanken, aber durch seine Demenz war das auch gleich wieder vergessen. So hatte ich einen Ansprechpartner, konnte etwas in Worte fassen, das ich selbst nicht einmal verstand.

Die Zeit um Weihnachten rückte immer näher. Bald würde der erste Todestag von Dominik sein. Das hob meine Stimmung auch nicht gerade. Meine Schwester Silvia hatte uns eingeladen, die Feiertage bei ihr zu verbringen. Sie war inzwischen kugelrund. Dem Baby ging es gut. Doch das Autofahren strengte Silvia an. Da war es eine gute Lösung, zu ihnen zu fahren. Wir verbrachten Heilig Abend und den ersten Feiertag bei meiner Schwester und ihrem Mann. Die übrigen Tage gehörten dem Rest unserer Familie. Papi und seinem Lebenspartner Werner, meiner Mama und Helmut, ihrem Mann. Walters Eltern. Die letzten Dezembertage waren bald vorbei, und in großen Schritten ging es auf den Sterbetag von Dominik zu. Zwischen den Jahren war ich wieder einmal in eine leere Kirche gegangen, getrieben von einer Sehnsucht und hoffend auf Antworten für alles, was gerade in mir geschah. Diese friedliche Stunde hatte etwas in mir bewegt. Zum ersten Mal seit langer Zeit konnte ich mein Inneres wieder fühlen. War ich die letzten Wochen wie betäubt, so spürte ich endlich wieder ein warmes Gefühl. Aufgewühlt und traurig erzählte ich Gott von meinem Dilemma, fragte um Rat und bat um Führung. Ich sagte sowas wie: „Lieber Gott. Du kannst doch in mein Herz sehen.

Ich bin doch kein schlechter Mensch. Alles, was ich möchte, ist ein friedliches, erfreuliches und erfülltes Leben. Ich will doch nur aus den alten Strukturen heraus. Ich möchte mich doch nur befreien aus den Prägungen meiner Familie, der Schule und meiner Generation. Wieso hilfst du mir denn nicht, das alles in Liebe zu bewältigen? Ach bitte, schicke mir doch einen Engel, der mir zur Seite steht. Bitte! Schau doch in mein Herz und prüfe mich. Ich bin nicht böse, ich kann nur einfach nicht anders. Lieber Gott, bitte hilf mir, mich selbst zu mögen." Da brach ich in Tränen aus. Unfassbar, was ich da eben gesagt hatte. Und mir wurde die ganze Tragweiter meiner Worte bewusst. Eine ganze Flut von Erkenntnissen überkam mich. DAS war es. Ich mochte mich nicht! Ja wie konnte ich nur so blind sein? Wie war es möglich, dass ich das erst jetzt begriff. Weinend saß ich in der verlassenen Kirche. Und wusch meine Seele. Es war so befreiend. Endlich wusste ich, wie ich weiter machen konnte. „Ich werde es lernen, mich selbst anzunehmen, irgendwann auch einmal mich zu lieben. Mich zu respektieren und selbst zu achten." Wenn mir das gelänge, würde sich meine Umwelt verändern. ICH musste meine Einstellung zu MIR verändern. Das war wie eine Erleuchtung. Und ganz plötzlich war da eine andere Wahrnehmung. Fast so, als sähe ich mich selbst als Fremde. Ich konnte vieles verstehen, vieles analysieren und auch rekonstruieren, was in den letzten Wochen alles passiert war. Ich erkannte, dass ich es schaffen musste, mein Leben zu ändern, aber auch zu lernen, das Leben der anderen zu akzeptieren. Ich hatte zu respektieren und zu achten, wie sie ihr Leben gestalteten. Das alles geht mich nichts an. Es ist ihr Lebensplan und ich habe es so sein zu lassen. Es steht mir nicht zu, von meinen Mitmenschen zu verlangen etwas zu ändern. Wochenlang hatte ich versucht, ihr Leben an meines anzupassen, mir ein neues Umfeld zu schaffen, indem ich meine Mitmenschen verändern wollte.

Da bat ich inständig um Verzeihung. Alle, zunächst Gott, dann meine Familie, dann meine Freunde und Nachbarn. Alle, denen ich das Leben schwer gemacht hatte, alle, die ich verletzt hatte, wurden um Verzeihung gebeten. Ich konnte mir zwar nicht vorstellen, dass das auch bei ihnen ankommt, aber zumindest vor Gott wollte ich meine Schuld bekennen und alle meine Missetaten gestehen. Als ich die Kirche verließ, fühlte ich mich wie neu geboren.

Von da an wurde es leichter. Jetzt, da ich nur noch darauf zu achten brauchte, mit mir selbst auszukommen, mir Aufmerksamkeit und Respekt zu geben. Jetzt, da ich darauf schaute, dass ich mich wohlfühlte und auch meinem Körper wieder mehr Achtung schenkte, lief es besser. Ich beobachtete mich und mein Verhalten nun genau und unterzog meine Gedanken einer strengen Kontrolle. Wann immer ich mich selbst schlecht machte oder meine Gefühle missachtete, trat ich im Geiste einen Schritt beiseite und korrigierte sofort meine Gedanken oder schenke mir ein Kompliment. Wenn ich Emotionen verspürte, die sich nicht gut anfühlten, forschte ich sofort in mich hinein und suchte die Ursache dafür. Auch Geschenke machte ich mir selbst. Dinge, die ich mir vorher versagt hatte, fanden nun den Weg in meine Wohnung, mein Bad oder den Kleiderschrank. Ich war es mir wert! Vorher wäre ich nie auf die Idee gekommen, für mich selbst Blumen zu kaufen. „Reine Geldverschwendung", hätte ich gedacht und den Blumen widerstanden. Auch wenn sie mich noch so gelockt hätten. Das war jetzt anders.

Wenn ich in den Spiegel guckte, entdeckte ich wieder meine Augen. Die mochte ich früher immer. Wie konnte ich nur meine Augen nicht mehr sehen? Weil ich nur auf die Defizite im Gesicht und am Körper geachtet hatte! Abgemagert war ich. Das war mir bisher nie aufgefallen. Was da im Spiegel zu sehen war, blieb mir vorher verborgen. Ein verhärmtes, abgemagertes Wesen mit traurigem Blick. Aber ich bewertete es nicht. Ich nahm es zur Kenntnis. Das ist ein Unterschied. Ich nahm mich, so wie ich nun war. Und machte mich daran, etwas zu verbessern. Ich fing wieder an vernünftig zu essen, reduzierte meinen Zigarettenkonsum und achtete auf mein Äußeres. Der Kühlschrank wurde mit anständiger Nahrung gefüllt und auch mit dem Kochen begann ich erneut. Das alles war ins Hintertreffen geraten, es interessierte mich einfach nicht. Es war für mich nicht mehr wichtig gewesen. Ich war mir nicht wichtig. Nun, endlich hatte ich wieder Zugang zu mir gefunden. Sehr zur Freude von Walter und meiner Familie. Diese merkten die Veränderungen nach und nach. Endlich gab es mal wieder schöne Gespräche und liebevollen Austausch mit meinen Lieben. Ein zartes Glücksgefühl stellte sich ein. In dieser Zeit kam ich wieder in Einklang mit mir und meiner Umwelt.

Ich weiß nicht, wie ich es erklären kann. Da war und ist noch ein anderes Bewusstsein, seit dem Tag in der Kirche. Eines, das alles erfasst, was sich ereignet, es dann sortiert, einordnet und als Erkenntnis abspeichert. Ich konnte und kann bis heute sozusagen alles, was mit meinen Handlungen und Gefühlen, meinen Taten und Worten irgendwie im Zusammenhang steht oder stand, von einer übergeordneten Perspektive aus, völlig neutral und wertfrei, betrachten. Die Resultate eröffnen mir oft völlig neue Sichtweisen und meist sehe ich dann vieles aus einem anderen Blickwinkel.

Mein Geist schwebte jetzt über allem und entdeckte immer neue Facetten des Spiels, das wir Leben nennen. Je mehr ich die Zusammenhänge verstand, desto aufmerksamer wurde ich in meinen Taten und Handlungen. Konnte ich doch fast spürbar wahrnehmen, wie sie sich auswirkten. War ich grantig, wurde ich ebenso behandelt. Ließ ich meinen Launen freien Lauf, litten meine Mitmenschen darunter und ich bekam es doppelt und von allen Seiten zurück. War ich aber aufmerksam und liebenswürdig, wirkte sich das fast unmittelbar auf mich selbst aus und ich wurde warm und herzlich behandelt. Wirklich verstehen konnte ich diese Dinge damals noch nicht. Ich konnte es mehr fühlen und wahrnehmen als erklären.

Im Angesicht ihres Todes erfanden mein Ego und mein Verstand immer neue Strategien. Jedes Mal, wenn ich dachte, ich hätte meinen Verstand etwas gezähmt, kam er hervorgesprungen und schrie: „Ich weiß, ich weiß, ich weiß!" Auch das Ego war ziemlich gerissen. Manchmal hörte ich tagelang nichts von ihm. Aber dann, wenn ich schon glaubte, ich hätte gewonnen, brach es hervor und brüllte: „Ich kann, ich will, ich werde!" Es war zum verzweifeln. Diese zwei Gesellen machten mir das Leben schwer.

Dabei merkte ich zuerst gar nicht, wie schlau meine Seele währenddessen vorgegangen war. Doch eines Tages fiel es mir wie Schuppen von den Augen: Dadurch, dass sich Verstand und Ego ständig in die Quere kamen, konnte ich überhaupt erst verstehen und sehen, wie sich das alles auf mich selbst auswirkte. Die Erfahrungen des letzten Vierteljahres machten plötzlich Sinn: Indem sich die Seele vollkommen aus den Zwistigkeiten heraushielt, machte sie es mir erst möglich zu verstehen und zu erkennen, wie sehr ich von Ego und Verstand geleitet war. Wow! Das musste ich erst setzen lassen. Da erhielt die Aussage „Wenn Zwei sich streiten, freut sich der Dritte" ja gleich eine ganz neue Bedeutung. Das Bewusstsein, das mir neuerdings immer gegenwärtig war, klatschte in die Hände und rief: „Bravo, endlich hast du es kapiert, wurde auch langsam Zeit!"

Seit Wochen schon redete dieses *Es* mit mir. Ich dachte bereits gar nicht mehr darüber nach. Längst hielt ich mich nicht mehr für spinnert. Wen interessierte es? Bisher half *Es* mir immer, mich besser zu verstehen und oft holte mich das aus einer Krisenstimmung. Dass sich dieses *Es* nun freudig mitteilte und mich lobte, wunderte mich nicht sonderlich. Was immer *Es* auch war, es war mein Freund geworden. Und jetzt belohnte es mich, indem es mich das ganze Ausmaß meines Lernprozesses der letzten Monate erkennen ließ. Da war ich platt. Hatte ich wirklich so viel gelernt? War ich wirklich gereift? Hatte sich in mir etwas gewandelt? Wenn ich dem Bewusstsein Glauben schenkte, war es so! Demnach hatte ich mich wirklich und wahrhaftig verändert.

Jetzt war mein Wille erst richtig erwacht. Jetzt wollte ich es meinem Ego aber mal richtig zeigen. Nun sollte es achtsam sein, wenn es sich wieder mal aufblähen wollte. Mit mir nicht mehr!

Mein Verstand war in den letzten Wochen sowieso schon ziemlich eingeschüchtert ob der neuen Dimensionen, die sich vor ihm auftaten. Der war beleidigt in seinem Schmollwinkel verschwunden und lugte nur noch ab und zu heraus. So nach dem Motto: „Du weißt neuerdings eh immer alles besser. Da kann ich nicht mehr mithalten. Diese Dinge verstehe ich nicht, da muss ich mich erst neu orientieren. Wenn du mal was von mir brauchst, musst du mich schon rufen!" Ja, das war auch so eine Sache. Der Verstand ist nur hilfreich für Situationen, die er kennt. Wenn sich etwas unserem Verständnis entzieht, gibt der Verstand nicht mehr viel her, denn er ist die Summe unserer Erfahrungen. Das ist sicher gut und wichtig. Doch wenn es brenzlig wird, hilft er uns nicht weiter. Er kann ja nur darauf zurückgreifen, was er schon geschult und geprägt bekam. Also auf Situationen und Erlebnisse, die er kennengelernt und bewältigt, eingeordnet und sortiert hat. Oder eben auf Prägungen und Glaubenssätze, die wir eingetrichtert bekamen. Da fühlt er sich sicher. Wenn nun aber neue Dimensionen, nicht Erlebtes oder nicht Erklärbares auftauchten in unserem Leben, sucht er immer auf seiner Festplatte nach ähnlichen Daten. Findet er nichts, wird das Ganze einfach als unmöglich oder nicht real abgestempelt. Mein Verstand war also beleidigt und schmollte vor sich hin. Gut, das machte mir gar nichts aus. So hatte ich die Möglichkeit, viel Neues zu erkunden, auszuprobieren und in Gewässern zu fischen, die ihn schier in Panik versetzt hätten, wäre er nicht auf Tauchstation gegangen.

Da war mein Ego nicht so nachgiebig. Es war ein überaus präsentes Wesen, nicht bereit, kleinbeizugeben oder von der Bildfläche zu verschwinden. Ein richtig zähes Luder, das mit allen Wassern gewaschen war. Wann immer ich mich in Sicherheit wog und nicht aufpasste, preschte es hervor und schrie: „Ich bin da, vergiss das nicht. So leicht gebe ich nicht auf. DU brauchst mich, nicht ICH dich. Dass du das nur weißt. Wo wärst du denn, wenn ich dich nicht immer beschützt hätte? Wie oft habe ich dich gerettet, damit du aufrecht und stolz aus einer Situation herausgehen konntest! Hä, weißt keine Antwort. Dachte ich mir schon. Aber warte! Bald wirst du erkennen, dass ich wichtig bin. Wenn du mit deiner neuen Sichtweise nicht mehr weiterkommst, dann schreist du nach mir, das kann ich erwarten! Bald wirst du mit deinem neuen Leben nicht mehr klar kommen. Und was glaubst du, wer dich dann rausholt aus der Klemme? ICH! Wie immer übrigens. Auf das gute alte Ego ist Verlass. Was soll der ganze Schmarren denn eigentlich? Hatten wir nicht immer ein schönes Leben, du und ich? Gut, ich nehme es dir nicht übel. Jeder darf mal spinnen, aber langsam wird es Zeit, dass du damit aufhörst!"

So wetterte mein Ego nun kläglich Tag für Tag vor sich hin. Und ich musste aufpassen wie ein Schießhund, um nicht in meine Ego-Fallen zu tappen. Oh Mann, ich kann dir sagen, es ist anstrengend, nervig und zehrt an der Substanz, wenn man immer alles, was man tut, hinterfragen muss: „Mach ich dies aus dem Ego heraus, oder mache ich es, weil …? Sagt das mein Ego, oder spricht hier das reine Gefühl? … Will ich das, weil sich mein Ego aufmotzt, oder tue ich es für mein Wohl oder zum Wohle eines anderen?"

Gut, dass mein Ego meinen neuen Freund, das *Es*, noch nicht kannte. *Es* half mir oft und gerne. Ich lernte nachzudenken, reinzuspüren und abzuklären, bevor ich handelte. Wenn ich nun bemerkte, dass da mein Ego protzig auf dem Vormarsch war, atmete ich tief ein und gab ihm einen kräftigen Tritt. Da verzog es sich knurrend in die Ecke und leckte seine Wunden. Das gelang mir immer öfter und *Es* war sehr zufrieden mit mir. Und ich ebenfalls.

Aufwind

1998

Seit Tagen schlich ich wie ein geprügelter Hund durch das Haus. Ich fühlte mich unwohl und gereizt. Hin- und hergerissen zwischen meiner Vermutung und der Angst, dass ich mich täuschte. Darum beschloss ich, etwas dagegen zu unternehmen und bat bei meinem Arzt um einen Termin.

Nach ausführlicher Untersuchung vernahm ich die Worte: „Herzlichen Glückwunsch, Sie sind schwanger, schon in der 8. Woche. Ich schreibe ihnen Jodtabletten auf. Alles im grünen Bereich, ich freue mich mit Ihnen. Wenn es Ihnen gut geht, sehen wir uns in vier Wochen zum Ultraschall." Es war der erste Todestag von Dominik!

„Ist dies ein gutes Omen? Vielleicht ist das ein Zeichen", rumorte es in meinem Kopf.

Etwas benebelt und mit einer kleinen, zarten Freude im Herzen fuhr ich nach Hause und erzählte meinem Mann, dass er wieder Papa wird. Sofort warf ich die Zigaretten in den Müll und schwor mir, alles für mein Baby zu tun, was nötig wäre. Dennoch fühlte ich mich nicht so wie beim letzten Mal. Etwas war anders. Keine Freudentränen, keine Luftsprünge, auch das schöne Gefühl, das ich damals hatte, fehlte mir.

Die Wochen vergingen und außer an einer kleinen Wölbung am Bauch konnte keiner ahnen, dass ich ein Kind unter dem Herzen trug. Nun waren meine Schwester und ich gleichzeitig schwanger. Wie oft hatte ich mir das schon ausgemalt. Unsere Kinder würden innerhalb von sechs Monaten geboren werden, würden zusammen aufwachsen und wie Geschwister sein. Ein schöner Gedanke!

Meine Familie nahm die Nachricht mit großer Freude auf und meinen Schwiegereltern zauberte diese Botschaft ein Lächeln ins Gesicht. Silvia und ich hegten gemeinsam unsere Gedanken und woben ein zartes Zukunftsgebilde, in dem unsere beiden Mädchen die Hauptrolle spielten. Dass wir beide eine kleine Göre bekommen würden, war uns so klar wie Kloßbrühe. Wenngleich ich gerne diese Zukunftsbilder malte, tat ich es doch mit einem komischen Gefühl im Bauch. Ich konnte nicht wirklich mit voller Freude daran denken. Etwas sträubte sich innerlich, gerade so, als ob etwas in mir sagen wollte: „Hänge dich nicht zu tief in diese Visionen!"

Etwas war anders. Ich fühlte mich nicht schwanger. Zwar sprach ich mit dem kleinen Wesen, ich *wusste*, dass es ein Mädchen sein würde, aber ich konnte es nicht *fühlen*. Es war ein Wechselbad der Emotionen in mir. Einen Tag freute ich mich auf das Leben mit meinem kleinen Mädchen, am nächsten konnte ich gar nicht glauben, dass ich schwanger war.

Am Tag vor der nächsten Untersuchung beim Frauenarzt rief ich Waltraud an: „Hallo, ich bin es, wollte mich mal melden."

„Was ist los? Du klingst so komisch. Ist alles in Ordnung?", fragte Waltraud sofort alarmiert. „Ach, ich weiß nicht, ich hab Angst vor der Untersuchung morgen. Ich habe ein komisches Gefühl, irgendwie glaube ich, dass das Baby nicht mehr lebt." „Wie kannst du sowas sagen? Hör sofort auf damit. Du wirst sehen, alles ist in bester Ordnung. Mach dich doch nicht verrückt!", schimpfte sie mich. Sie hatte ja recht, aber was sollte ich gegen mein Gefühl unternehmen?

Waltraud versuchte mich zu beruhigen: „Ach komm, jetzt sei fröhlich, du verrennst dich da in etwas."

Wie gerne wollte ich ihr glauben, aber mein Bauchgefühl war mittlerweile so ausgeprägt, dass ich wirklich dachte, ich hätte eine Vorahnung. Wir unterhielten uns noch ein Weilchen über Dies und Das und ich versprach, mich am nächsten Tag, nach der Untersuchung, sofort bei ihr zu melden.

Mit beklommenem Gefühl ließ ich die Untersuchungen über mich ergehen. Der Gesichtsausdruck des Arztes war besorgt, was er aber mit einem schiefen Lächeln überspielen wollte. Als der Ultraschall dran war, wurde sein Gesicht immer ernster, aber er sagte nichts. Das brauchte er auch nicht. Ich kann gut in Gesichtern lesen. Außerdem konnte ich die Bilder des Ultraschalls selbst deuten, erstens durch die vielen Untersuchungen bei Dominik und auch durch meine Arbeit in der Frauenarztpraxis. Da war zwar eine kleine zarte Hülle zu sehen, aber keine Bewegungen, kein kleiner, hüpfender Punkt, der eine aktive Herztätigkeit bescheinigt hätte. Der Arzt gab sich noch nicht geschlagen und suchte weiter, da bat ich ihn aufzuhören. Doch es ging ihm dabei gar nicht mehr um den Herzschlag. „Frau Plößer, ich vermute eine Vergiftung. Normalerweise müsste ein Hinweis für die Folge eines Aborts zu sehen sein. Das ist bei Ihnen nicht der Fall. Ich fürchte, sie müssen morgen sofort ins Krankenhaus, um das Baby zu entfernen. Sonst droht akute Vergiftungsgefahr. Es tut mir leid, dass ich Ihnen das nicht ersparen kann. Normalerweise erledigt das der Körper durch eine Fehlgeburt selbst. Bei Ihnen ist aber nichts zu sehen, das auf einen Abgang hinweist. Bitte kommen Sie morgen um 7.00 Uhr auf die gynäkologische Station ins Krankenhaus, ich habe da Belegbetten. Ich werde Sie persönlich operieren." Ich weiß gar nicht, wie ich meine Gefühle beschreiben kann. Es traf mich nicht wirklich unvorbereitet. Innerlich hatte ich es ja gespürt. Betäubt trifft es wohl am ehesten. Meine erste Aktion war, zur Tankstelle zu fahren und mir Zigaretten zu kaufen.

Zuhause verkroch ich mich erst mal. Später ging ich zu meiner Schwägerin und heulte mir die Augen aus. Auch sie war erschüttert über die neuen Ereignisse und versuchte mich zu trösten und zu beruhigen.

Am Abend erzählte ich Walter was sich ereignet hatte. Er versprach, mich am nächsten Tag in die Klinik zu bringen und auch wieder abzuholen. Er wollte zwischenzeitlich zu meiner Mama fahren, die ganz in der Nähe des Krankenhauses wohnte. Die Gefühle, die in Walter vorgingen, kann ich natürlich nicht wissen. Aber er war sehr still, sehr in sich gekehrt und auch sehr traurig.

Weinend, wie ein kleines Kind, beobachtete ich die letzten Vorbereitungen im OP-Saal. Die Anästhesistin fragte mich, weshalb ich denn weine. Schnaubend erklärte ich in kurzen Sätzen mein Dilemma. Da versuchte sie mich zu trösten: „Frau Plößer, Sie sind doch noch jung und können wieder schwanger werden. Seien Sie doch nicht so traurig. Sie werden jetzt gleich einschlafen, und wenn Sie wieder aufwachen, geht es Ihnen besser. Ganz bestimmt." Und schon gingen die Lichter aus.

Als ich wieder erwachte, strahlte die Sonne in mein Krankenzimmer, dass ich direkt geblendet war. Eine Frau lag im Bett neben mir und sah mich neugierig an. Demonstrativ drehte ich mich zur anderen Seite, ich wollte nicht reden. Ich wollte jetzt traurig, bockig und alleine sein. Mein Signal war wohl angekommen, denn sie sprach mich nicht an. Kurz darauf schneite eine Schwester ins Zimmer herein: „Hallo Frau Plößer, Sie sind ja schon wach. Alles ist gut verlaufen, der Herr Doktor kommt später, um mit Ihnen über alles zu sprechen.

Brauchen Sie etwas, möchten Sie etwas trinken? Müssen Sie mal auf Toilette?", zwitscherte sie fröhlich. „Nein, danke, ich möchte gerne einfach etwas ausruhen, aber etwas zu trinken wäre schön." Mein Blick fiel auf die Wanduhr: „Erst kurz vor neun. So schnell geht das also. Wer sein Kind abtreibt, ist also zum Mittagessen wieder daheim", dachte ich sarkastisch. Irgendwie bohrte sich dieser Gedanke in mein Hirn. Natürlich war das eben Geschehene keine Abtreibung, aber es kam dem Ganzen schon sehr nahe. Mit dem Unterschied, dass mein Kind vorher schon tot war. Das Prozedere ist aber sicher das Gleiche. Über Abtreibung hatte ich noch nie wirklich nachgedacht, war bisher auch noch nie damit konfrontiert. Eine Meinung hatte ich dennoch über die Frauen, die dies tun. Innerlich leistete ich Abbitte. Niemals würde ich glauben, dass die Entscheidung zu einer Abtreibung leicht oder unbedacht war. Sicher hatte jede Frau ihre ganz privaten, tief sitzenden Gründe, dies zu tun. Und mein Erlebnis führte dazu, dass ich nun großes Mitgefühl für die Frauen hatte, die dies erleben mussten. In der Praxis hatten wir natürlich öfter die Situation, dass sich junge Mädchen, Mütter oder alleinstehende Frauen zu diesem Schritt entschieden. Bisher hatte ich nie darüber nachgedacht, wie sich das auf das weitere Leben auswirkt. Ab heute würde mir niemand mehr weiß machen können, dass Frauen diesen Schritt mit Leichtigkeit tun und es hinterher einfach vergessen!

Ein munteres „Hallo" riss mich aus meinen Gedanken. Der Arzt stand an meinem Bett und begrüßte mich freundlich. „So, Frau Plößer, alles ist bestens gelaufen. Die Gebärmutter hat keinen Schaden genommen. Sie können weitere Kinder bekommen. Wir haben Ihren Embryo ins Labor geschickt. Schließlich müssen wir bei

Ihrer Vorgeschichte auch an einen genetischen Defekt denken. Sollte hier ein positives Ergebnis vorliegen, müssten Sie eine erneute Schwangerschaft natürlich gründlich überdenken. Aber ich bin zuversichtlich, dass bei Ihnen alles in bester Ordnung ist. Allerdings muss ich Sie darauf hinweisen, dass Sie sich mit einer erneuten Schwangerschaft unbedingt Zeit lassen sollten. Ich würde Ihnen empfehlen, mindestens ein halbes Jahr zu warten und zwischenzeitlich die Pille zu nehmen. Ihr Körper soll sich jetzt wieder umstellen, der Hormonhaushalt muss sich wieder einpendeln, Ihre Gebärmutter heilen und sich erholen. Falls Sie zu früh schwanger würden, hätte das womöglich eine weitere Fehlgeburt zur Folge. Ich werde Ihnen ein Rezept für die Antibabypille ausstellen. Ich würde vorschlagen, Sie essen noch hier bei uns zu Mittag und anschließend können Sie entlassen werden. In einer Woche möchte ich Sie gerne nochmal in meiner Praxis sehen, zur Nachuntersuchung." Ich stimmte zu und weg war er.

Wie vereinbart holte mich Walter am frühen Nachmittag ab und brachte mich nach Hause. Wie ich mich fühlte, kann ich nicht in Worte fassen. Es war kein Groll in mir, auch keine Wut. Eher so eine Art Wehmut. Ein Kapitel in meinem Leben hatte sich geschlossen. Das konnte ich spüren, aber nicht eindeutig zuordnen.

In meinen Gebeten sagte ich Gott, dass ich darauf vertraue, dass alles seine Richtigkeit hatte und ich mich weiter seinem Willen unterordnen werde, dass er für mich den Weg weisen solle und ich alles annehmen würde, was noch kommen möge.

Bei der Nachuntersuchung eine Woche später grinste der Arzt freudig und teilte mir sogleich mit, was die genetische Untersuchung ergeben hatte. Es würden keinerlei Erbkrankheiten oder andere Erkrankungen vorliegen. Das hieß also, dass es einfach ein natürlicher Eingriff der Natur gewesen war, der immer wieder mal vorkommt. Außerdem stand in dem Befund, dass mein Baby ein Mädchen gewesen war. Ein Mädchen! Ich war aufgeregt und freute mich darüber, hatte mich mein Gefühl also nicht getäuscht. Der Arzt war mit mir und meiner Genesung zufrieden, und bald darauf verließ ich die Praxis und fuhr nach Hause.

Es war schon spät, die Dämmerung verdunkelte das Wohnzimmer gemütlich. Ich zündete eine weiße Kerze an und wurde ganz ruhig und innerlich zentriert. Ich bat die Seele des Babys zu mir zu kommen und mir zu lauschen.

Sarah! So sollte mein Mädchen heißen. Das war der Name, den ich ausgesucht hatte. Und nun taufte ich mein Mädchen auf diesen Namen. In meinem Herzen wohnten von nun an Sarah und Dominik.

Ob Dominik das gemeint hatte, als er damals in meiner Meditation zu mir sagte, er würde eine Schwester bekommen? Hatte er es so gemeint? Dass sie zu ihm kommen würde, dorthin wo er jetzt war? Grübelnd saß ich auf dem Sofa und es fühlte sich richtig an. Wer weiß schon, was es alles gibt, das wir nicht sehen oder hören können. Womöglich gab es eine zweite Realität? Also bat ich Dominik in meinen Gedanken, er möge gut auf seine Schwester achtgeben und sie begleiten. Wenngleich es mein Vorstellungsvermögen fast sprengte, war ich doch sicher, dass es einen Ort gab, an dem die Verstorbenen weiterlebten, eben auf eine andere Art, mit einem anderen Körper, der nicht fest und griffig war, sondern eher aus Licht oder Energie bestand. Als Kind liebte ich die

Komödie „Der Brandner Kaspar". Da ging es um den Tod, der den Kaspar abholen wollte. Dieser sträubte sich aber mit allen Tricks. Am Ende des Films sieht man, wie die verstorbenen Angehörigen des Brandner Kaspars aus dem Himmel auf ihn hinabsehen und an seinem Leben teilhaben konnten. Das fand ich immer so berührend und ich konnte mir gut vorstellen, dass das genau so ist. Eben eine Art Parallelwelt, die wir nicht sehen oder hören können, aber die durchaus existiert.

In diesen Stunden des Abschieds von Sarah kam tiefer Friede in mein Herz. Alles war gut, alles war richtig, auch wenn ich es nicht verstehen konnte.

Silvia befand sich nun in den letzten Wochen der Schwangerschaft. Doch das Baby war in einem Sitzstreik. Den Po voran verharrte es und bewegte sich keinen Zentimeter. So konnte die Geburt natürlich nicht vonstattengehen, ein Termin für einen Kaiserschnitt wurde angedacht. Meine Schwester grub tief in der Trickkiste, um das Baby noch zur Umkehr zu bewegen, aber es wollte nicht. Die Hebammen hatten auch noch so einiges auf Lager: Akupunktur, Massagen und Fußpunkte drücken. Nein, dieses Baby hatte keine Lust, mit dem Kopf nach unten zu liegen. Ich kann das gut verstehen, ist ja ziemlich ungemütlich. Also rief meine Schwester mich an, um zu fragen, was denn für ein Termin genehm wäre. Schließlich hatten wir in unserer Familie eine Tendenz zu sich überschneidenden Geburtstagen unserer Familienmitglieder. Und dieses Mal würde es meinen Geburtstag treffen. Ich bat nur darum, dass es nicht unbedingt tatsächlich mein Tag sein müsste und machte den Vorschlag, von ungefähr einer Woche später, oder so. Nein, das kam für das Baby wohl überhaupt nicht in Frage, denn einige Tage vor dem geplanten Termin machte es sich auf den Weg und piesackte meine Schwester mit Wehen. Da mussten die Ärzte natürlich eingreifen, eine Po-voraus-Geburt wurde nicht geduldet, es war einfach zu gefährlich.

So erhielt ich zwei Tage nach meinem Geburtstag den Anruf meines Schwagers, der mich bat, in die Klinik zu kommen, um meine Nichte zu bestaunen. Hurra! Romana war angekommen. Wie ich mich freute! Sofort machte ich mich auf den Weg. Und schon eine halbe Stunde später stand ich am Bett meiner müden und ausgelaugten, aber superstolzen Schwester. Strahlend reichte mir Bernd, mein Schwager, das kleine Bündel Mensch. Meine Nichte Romana. Es war Liebe auf den ersten Blick. Noch nie hatte ich so ein schönes Baby gesehen. Selbst Dominik war nicht so schön. Da bin ich einfach ehrlich. Sie hatte bereits eine Struwwelpeter-Frisur, lange schwarze Haare, die in alle Richtungen standen. Mit prüfenden Augen sah sie mich an, als ob sie sagen wollte: „So, du bist also die Tante Petra. Freut mich, dich kennenzulernen." Dieser Moment war magisch. Mein Herz schlug nur für dieses Bündel Menschlein, ich hatte mich verliebt.

Leider kam eine resolute Schwester ins Zimmer und polterte gleich los. „Alle bitte raus, wir brauchen Ruhe hier, die Mama muss jetzt das Kind anlegen." Da half es nichts, dass die Mama ausdrücklich klar machte, dass sie nicht stillen wollte. Silvia war von dem Kaiserschnitt und den schmerzlichen Folgen ziemlich mitgenommen und konnte sich nicht wehren. Das ging ein paar Tage so, bis Bernd ein Machtwort sprach und klarstellte, dass es wohl den Eltern überlassen sei zu entscheiden, wie und was gemacht oder unterlassen wird. Das hatte allerdings zur

Folge, dass meine Schwester und Bernd von da an mit bösen Blicken gestraft wurden.

Ich fuhr jeden Tag in die Klinik und bestaunte meine Nichte. Silvia bat mich, die erste Zeit nach dem Krankenhausaufenthalt zu ihr zu kommen und sie ein bisschen zu unterstützen, da sie große Schmerzen hatte und das Kind zu schwer war für sie. Außerdem sollte sie noch einige Zeit im Bett bleiben und sich schonen.

So kam es, dass ich die folgenden Monate bei meiner Schwester ein und aus ging und mich mit Romana beschäftige, Silvia im Haushalt half, und wir viel Zeit miteinander verbrachten. Wann immer Romana einen Entwicklungsschub machte, erlebte ich ihn hautnah mit und freute mich wie eine Mutter. Walter liebte die Kleine ebenso und spielte ausgiebig mit ihr. Die Wochenenden verbrachten wir oft gemeinsam, auch zusammen mit meiner Mama und ihrem Mann Helmut. Ich blühte in dieser Zeit richtig auf, hatte Lebenslust und war einfach nur glücklich. Silvia überließ mir Romana oft „an Mutters statt", was ich sehr genoss und was mich tief berührte. Für Silvia mag es Entlastung gewesen sein, für mich war es Heilung!

Romana war ein kleines Showtalent und genoss es, im Rampenlicht zu stehen. Wann immer sie konnte, machte sie für uns den Clown. Das war oft zu komisch, da sie ihre Frisur immer noch hatte. Mit der Zeit bekam sie von uns den Spitznamen „Bürste", denn ihr Haar wuchs und wuchs, mochte sich aber nicht am Kopf anlegen, sondern stand in alle Richtungen.

Die Monate vergingen wie im Flug, und bald stand schon das zweite Weihnachtsfest vor der Tür. Natürlich wollten wir alle zusammen feiern, und meine Schwester lud uns zu sich ein. Das war einfacher zu handhaben, schließlich hatten wir das leichtere Gepäck und konnten dann auch gleich übernachten.

Wir verlebten ein wunderschönes, gemütliches und vor allem lustiges Weihnachtsfest. Dafür hatte die Kleine mit ihren Späßchen gesorgt, die sie uns immer wieder vorführte.

Glückstaumel

1999

Die Feiertage waren längst vorüber, und wir überlegten, wie, wo und wann wir Urlaub machen wollten. Walter hatte in seiner Arbeit gerade „Schlechtwetter", da bot es sich an, dem Winter zu entfliehen. Drei Wochen Karibik, das hatte es uns angetan. Die Dominikanische Republik war eindeutig unser Favorit, und so buchten wir für Anfang März ein schönes Hotel all-inklusive. Freudig übernahm ich die Reisevorbereitungen. Doch erst mussten noch ein paar Wochen überbrückt werden. Die Winterstürme heulten ums Haus, es war ungemütlich und kalt. Diesen Februar gab es viele heftige Gewitter, die oft Stromausfall zur Folge hatten. Manches Mal saßen wir stundenlang in der kalten, dunklen Wohnung und mussten die Zeit totschlagen. Zuerst machte es uns allen Spaß, und wir fanden es spannend, aber je öfter dies passierte, desto nerviger wurde das Ganze.

Die Gemeindearbeiter waren hoffnungslos überfordert, ständig gab es Bäume von der Straße zu transportieren oder Stromleitungen zu befreien. Die Energieversorger waren auch überlastet und langsam machte sich Unmut breit. Da ja auch das Telefon davon betroffen war, konnte man sich die Zeit nicht einmal damit vertreiben.

So träumten wir von Palmen und vom warmen Meer und malten uns aus, wie wir unseren Urlaub verbrächten. Walter wollte wieder mit dem Tauchen beginnen und hatte sich einige Tauchtage gebucht. Ich hatte mich mit Lesestoff versorgt. Gab es doch noch viele esoterische Bücher, die ich ergattert hatte und die noch ungelesen waren. Außerdem hatte ich vor, mich wieder mit den

Tarotkarten zu beschäftigen. Bereits vor Jahren hatte ich mir einige Kartendecks zugelegt. Zigeunerkarten, Tarotkarten und Orakelkarten. Aber richtig beschäftigt hatte ich mich damit lange nicht. Nein, sie machten mir damals Angst. Zu deutlich und ausdrucksstark waren die Legungen, die ich gemacht hatte. Das sollte sich nun ändern. Ich wollte mich wieder auf die Karten einlassen. Ein passendes Buch würde auch mit auf die Reise gehen.

Einen weiteren Entschluss, den ich fasste, betraf meine Arbeit. Ich wollte wieder arbeiten. So teilte ich meine Entscheidung meinen Freunden und im Bekanntenkreis mit. Und schon bald hatte ich einige Angebote als Arzthelferin. Doch es fühlte sich nicht gut an, etwas störte mich bei dem Gedanken, weiterhin diesen Beruf auszuüben. In mir reifte eine andere Idee. Ich wollte etwas tun, wobei ich meine Erfahrungen der letzten Jahre einbringen könnte. Etwas, womit ich Menschen helfen würde. Und ich wollte selbständig arbeiten! Das konnte ich als Arzthelferin nicht verwirklichen. In der Zeitung stieß ich auf die Annonce einer Schule für Erwachsenenbildung, die für eine Ausbildung zum psychologischen Berater warb. Das fesselte mich. Meinen Wunsch, eine Initiative in die Welt zu rufen, die sich spirituell austauscht und aufgrund von leidvollen Erfahrungen neue Impulse sucht, hatte ich nie aufgegeben. Wenn ich nun eine entsprechende Ausbildung hätte, wäre dies vielleicht zu verwirklichen. Ich nahm Kontakt mit der Schule auf und telefonierte mehrmals mit dem Schulleiter. Nachdem ich die Unterlagen des Instituts genau gelesen und das Konzept für gut befunden hatte, meldete ich mich für den kommenden Mai zu einer einjährigen Ausbildung an.

Dann ging es in den Urlaub. Wir landeten mitten im Paradies. Palmen, weißer Strand, 30 Grad im Schatten und blaues Meer, soweit das Auge reichte. Dazu beschwingte Musik, fröhliche Menschen und gutes Essen. Mehr brauchten wir nicht, wir waren glücklich. Walter ging täglich zum Tauchen und ich vertiefte mich in meine Lektüre, die ich von zu Hause mitgebracht hatte. Drei Wochen nichts tun, nichts denken, nichts arbeiten. Wir genossen jede Sekunde. Und wieder hatte ich dieses „Gefühl". Doch ich behielt es für mich. Stattdessen genossen Walter und ich die Abende. Wir tanzten, lachten und benahmen uns wie frisch Verliebte. So unbeschwert waren wir lange Zeit nicht gewesen, nichts verdarb uns die Laune. Viele Pina Colada und Tauchgänge später packten wir unsere Koffer und verließen mit Wehmut im Herzen „unser Paradies", mit dem festen Vorsatz, wieder hierher zu kommen. Mein Geheimnis gab ich immer noch nicht preis.

Zu Hause war es nun endlich Frühling geworden, unsere Freunde Christine und Klaus überraschten uns mit einer Willkommensparty, auch weil der Tag unserer Rückreise mein Geburtstag war. Ausgelassen erzählten wir unsere Reiseerlebnisse. Lange schon bemerkte ich den prüfenden Blick von Klaus, der hauptsächlich an meiner Oberweite hängen blieb. Da fragte er auch schon: „Sag mal, bist du etwa schwanger, dein Busen ist doch größer geworden, und du schaust schwanger aus, und du trinkst keinen Alkohol!" Innerlich war ich auf diese Frage schon vorbereitet und antwortete schnell: „Nein, nein, das war das gute, üppige Essen und die vielen Pina Colada, da ist nichts!" Mein Mann warf mir einen fragenden Blick zu, doch alle am Tisch flachsten schon über die Beobachtungen, die Klaus gemacht hatte. So bemerkte niemand mein stilles Lächeln.

Unter Aufbietung all meiner Kräfte zwang ich mich, noch ein paar Wochen zu warten. Ich wollte und konnte einer neuerlichen Enttäuschung nicht ins Auge sehen. Meine Idee war, solange zu warten, bis die gefährliche Zeit für einen Abgang überstanden sei. Erst dann würde ich zum Arzt gehen und die Schwangerschaft offiziell machen. Mitte April war es dann vorbei mit meiner Geduld, und ich entschloss mich, Nägel mit Köpfen zu machen. Noch heute wundere ich mich darüber, dass niemand außer Klaus bemerkte, dass ich das Rauchen aufgegeben hatte, keinen Alkohol trank und wirklich schwanger aussah. Bei Walter war ich mir nicht sicher, denn es ist so seine Art zu warten, bis ein Thema endgültig auf dem Tisch ist und es sich lohnt, sich Gedanken darüber zu machen.

Nun aber musste ich handeln, schließlich würde ich bald mit meiner Ausbildung beginnen. Falls sich die Schwangerschaft bestätigte, woran ich keine Sekunde zweifelte, wollte ich versuchen, aus dem Vertrag herauszukommen, um diese neun Monate zu genießen.

„Herzlichen Glückwunsch, ja, sie sind schwanger und das schon im dritten Monat", freute sich mein Arzt mit mir. Alles sah bestens aus, der Ultraschall bestätigte ein kleines pochendes Herz, die Blutuntersuchung zeigte keine Auffälligkeiten und der Arzt war zufrieden mit mir. Allerdings war ich auf das Folgende nicht vorbereitet. „Frau Plößer, in Anbetracht Ihrer Vorgeschichte und Ihres Alters sind Sie nun eine Spätgebärende", hörte ich ihn sagen. „Außerdem besteht bei Ihnen eine Risikoschwangerschaft. Deshalb schlage ich vor, dass wir alle Möglichkeiten der heutigen Früherkennung nutzen. So sollten wir unbedingt eine Fruchtwasseruntersuchung machen.

Außerdem noch vor der 23. Schwangerschaftswoche alle Untersuchungen zur Abklärung eines Down-Syndrom, eines offenen Rücken, einer Kieferspalte oder anderer Fehlfunktionen. Selbstverständlich werde ich Sie einer besonderen Beobachtung unterziehen, die Vorsorgeuntersuchungen machen wir engmaschiger, ich würde vorschlagen alle drei Wochen eine Routineuntersuchung", endete er und lächelte mich an. Peng! Eine Ohrfeige hätte mich nicht mehr getroffen. Ich glaubte mich im falschen Film. Ja, sollte denn das nie aufhören? Würde auch dieses zarte Leben wieder gefährdet sein? Eine tiefe Ruhe überkam mich und mein inneres Wissen sagte mir, dass nichts von all dem passieren würde. Ich versprach dem Arzt, alles mit meinem Mann zu besprechen und in drei Wochen wieder zu kommen.

Zu Hause angekommen konnte ich schon wieder lachen. Welche Karriere ich gemacht hatte. Was ich schon alles war. Zuerst eine Kinderwunschpatientin, danach die Mama eines schwer kranken Kindes, dann eine verwaiste Mutter und nun eine Spätgebärende und Risikoschwangere. Nein, ich würde dieses Spiel nicht länger mitmachen, ich war im Vertrauen und nichts würde es erschüttern!

Am Abend erzählte ich Walter nun endlich, dass er wieder Vater werden würde, auch von dem Vorsorgekatalog des Arztes und meinem Gefühl, dass das alles nicht sein müsse. Doch Walter sah das anders. Im Gegensatz zu mir wollte er auf Nummer Sicher gehen und alle Möglichkeiten ausschöpfen, die ihm ein gesundes Kind gewährleisteten. Wir diskutierten, überlegten und fanden keinen Kompromiss. Nichts und niemand konnten mich überzeugen, dass ich diese Untersuchungen machen würde. In der Zeit meiner Arbeit in der Frauenarztpraxis hatte ich genug Erfahrungen gesammelt, um zu wissen, dass jede Untersuchung, die der Arzt für nötig hielt, das Leben des Kindes unmittelbar bedrohte. Nicht selten kam es nach den Eingriffen zu einer Fehlgeburt, nicht selten wurden dennoch Krankheiten übersehen und oft kam es vor, dass sich eine Frau für oder gegen das Leben eines vermeintlich behinderten Kindes entscheiden musste! Niemals würde ich so eine Entscheidung treffen, noch zu präsent war die Erfahrung, die ich nach dem Ableben meiner Leibesfrucht im Krankenhaus gemacht hatte. Damals fühlte ich mich so, als hätte ich mein Kind getötet. Um wie viel schlimmer musste es sein, täte man dies wirklich?

Und wer war ich, dass ich dies zu entscheiden hätte? Wenn Gott uns nun noch einmal ein Kind schenken wollte, würde ich nicht überprüfen, wie kostbar dieses Geschenk sei.

Ich teilte Walter meine Gedanken mit und versuchte, ihn daran Anteil haben zu lassen, was in mir vorging. Dennoch vermochte er es nicht, mir zuzustimmen. Für mich war es überhaupt keine Frage, dass unser Kind gesund, die Schwangerschaft gut verlaufen und wir glückliche Eltern sein würden. Also bat ich Walter, mir zu vertrauen und nahm alle Verantwortung, die Schwangerschaft betreffend, auf mich. Ich war mir durchaus bewusst, dass ich unsere Ehe in Gefahr brachte, falls doch etwas passieren sollte. Andererseits wäre das auch der Fall gewesen, hätte er mich, im Falle eines Falles, zu einer Abtreibung überredet, oder das Kind wäre durch einen Eingriff gestorben.

Beim nächsten Untersuchungstermin teilte ich meine Entscheidung dem Arzt mit. Dieser war nicht gerade erbaut, aber er konnte mich auch verstehen, da er genau wusste, dass er mir nichts vormachen oder etwas beschönigen konnte, was meine Bedenken betraf. So einigten wir uns auf eine engmaschige Überwachung und regelmäßige Ultraschalluntersuchungen, dies war in meinem Fall durchaus zu rechtfertigen.

Alles lief gut, geradezu vorbildlich entwickelte sich das kleine Würmchen in meinem Bauch. Ich fühlte mich wohl, wurde runder und runder und genoss die Zeit. Dieses Mal hatte ich kein Gefühl, was es werden würde, mal tendierte ich zu einem Mädchen, dann wieder war ich mir sicher, es würde ein Bub.

Nur ein Anruf in der Schule war nötig, um aus meinem Vertrag für die Ausbildung herauszukommen, alles lief wie am Schnürchen. Ich war rundherum zufrieden.

Bald waren auch unsere Familien zuversichtlich, dass dieses Baby gesund zu uns kommen würde, sie freuten sich und meine Schwester packte Babysachen für mich zusammen. Romana war jetzt zwei Jahre alt und fragte oft nach dem Baby. Silvia erklärte ihr die Zusammenhänge, aber noch verstand sie nicht, was da passierte und dass ihre Tante Petra bald nicht mehr so viel Zeit haben würde. Unsere Kinder würden denselben Altersunterschied haben Silvia und ich und ebenfalls in den gleichen Monaten geboren werden. Sooft es ging, besuchte ich meine Schwester und Romana, wir unternahmen Ausflüge und hatten viel Spaß miteinander. Ich bekam von Silvia meine Umstandskleidung zurück und gestaltete langsam das Kinderzimmer um. Erst vor kurzem hatten Walter und ich daraus ein Arbeitszimmer gemacht. In meinen Träumen sah ich ein Mädchen, das die süßen Babykleider von Romana tragen würde und versunken mit den schönen Spielsachen im Kinderzimmer spielte.

Wann immer ich von einer Untersuchung heimkam, kam ich strahlend und glücklich. Dadurch wuchs auch Walters Vertrauen und man konnte sehen, dass er sich freute, bald wieder ein Papi zu sein.

Mit der Wahl eines Namens taten wir uns schwer, keiner war gut oder schön genug. Es sollte ein Name sein, den man nicht „verschandeln" konnte und der auch abgekürzt noch schön klang. Eines Tages waren wir auf dem Weg zu meiner Mama, im Radio lief Musik. Irgendwann nannte der Moderator seinen Namen, Tobias Soundso, wir sahen uns an und sagten im selben Moment, „Tobias, das wäre ein schöner Name." Wir mussten lachen und der Name für einen Jungen war gefunden.

Immer noch machte ich täglich meine Meditationen, immer noch hörte ich *Es*, wenn ich mal nicht so gut drauf war. Ich wurde dann darauf hingewiesen, was der Grund war, was mich bedrückte, und sobald ich die Ursache erkannte, ging es mir besser. Längst wusste ich, dass *Es* mein Engel war, mein Begleiter und Beschützer, der immer für mich sorgte und mir half, aus meinen trüben Gedanken herauszukommen. Wann immer sich dunkle Wolken in meinem Kopf zeigten, sagte er zu mir: „Vertraue einfach, lass nicht zu, dass die Angst in dein Herz kommt. Alles ist gut!" Und das stimmte. Immer wenn die Angst das Vertrauen vertreibt, kann dich dein Engel nicht mehr erreichen. Dies lernte ich im Laufe der Jahre und so versuchte ich, immer im Einklang mit mir und meiner Umwelt zu bleiben.

Das Baby in meinem Bauch war ein munterer Geselle, es liebte turnen und Handstand rückwärts, aber langsam wurde es eng. Mittlerweile hatte ich an die 20 Kilogramm zugenommen und so sah ich auch aus.

Ein früher Wintereinbruch veranlasste meinen Arzt dazu, mir zu raten, die letzten Vorsorgeuntersuchungen im nahegelegenen Krankenhaus zu machen, da ich zu meinem Arzt immerhin 20 Kilometer zu fahren hatte, die Klinik aber nur einen Katzensprung von meinem Wohnort entfernt war.

Also stellte ich mich dort vor und wurde von einer netten Hebamme herumgeführt und in die Abläufe eingeweiht. Wöchentlich sollte ich nun vorbeischauen, um sicher zu gehen, dass alles in Ordnung war.

Waltraud bot sich an, mir bei der Geburt beizustehen, falls Walter nicht gleich erreichbar wäre. Zu dieser Zeit hatte er seine Arbeitsstelle weit weg vom Klinikum. Ich freute mich über das Angebot, niemanden hätte ich lieber dabei gehabt als sie. Ich selbst war bei der Geburt ihres ersten Kindes mit von der Partie und es war eines der schönsten Erlebnisse, die ich je hatte.

Drei Tage vor dem errechneten Geburtstermin sollte ein Wehenbelastungstest gemacht werden, da die Fruchtwassermenge Anlass zur Besorgnis gab. Doch alles war in bester Ordnung, dem Kind ging es gut. So wurde ich für den eigentlichen Geburtstermin erneut einbestellt, nur um sicherzugehen.

Am frühen Morgen dieses Tages hatte ich bereits leichte Schmerzen im Unterleib und innerlich fühlte ich, dass mein Baby heute kommen wollte. „Pünktlich zum Termin", dachte ich schmunzelnd, während ich auf der Toilette bemerkte, dass die Geburt begonnen hatte. Mein Mann wollte es nicht so recht glauben und fuhr zur Arbeit. Mit Waltraud war ich am Krankenhaus verabredet. Wir gingen zur Hebamme, die nach kurzer Untersuchung überzeugt war, dass ich heute Mama werden würde. Zur Sicherheit gab sie mir gleich mal ein Wehen förderndes

Mittel. Das Kind würde dann schon den Startschuss geben, meinte sie lachend.

Waltraud und ich alberten und kicherten - ich schon im Kreißbett, sie neben mir auf einem Stuhl. Wir schwatzen über unser Leben, lachten über Anekdoten und gemeinsam Erlebtes, da kam die Hebamme ins Zimmer und meinte: „So wird das nichts, Frau Plößer. Ich erhöhe mal die Medikation", und weg war sie wieder. Keine fünf Minuten später durchfuhr mich die erste gewaltige Wehe und ich lachte nicht mehr, sondern schnappte nach Luft. Waltraud, bereits im Gebären erfahren, galoppierte sofort los, um die Hebamme zu holen und dann ging alles sehr schnell. Die Hebamme kam, sah, rief den Arzt und schickte sich für die bevorstehende Geburt an. Waltraud rannte zum nächsten Telefon, um den werdenden Vater zu alarmieren und ihn noch vor der Geburt ins Kreißzimmer zu zitieren.

Ich hechelte, schwitze und presste. Dominiks Geburt war ein Spaziergang gegen die Kräfte, die ich nun aufbringen musste. Waltraud feuerte mich an, lobte und hielt meine Hand. Nichts ging mehr. Das Kind steckte fest. Dieses Mal war es anstrengend, war es ja nun ein gesundes, großes und properes Baby, das ich gebären sollte. Zwischenzeitlich hatte sich die Anzahl der Betreuer auf zwei Hebammen, einen Arzt und eine Ärztin gesteigert. Gerade machte sich der Arzt daran, mit seinem Körpergewicht Druck auf meinen Oberbauch auszuüben, da kam Walter, sah mich zutiefst erschrocken an und war auch schon an meiner Seite. Der Anblick der Geburtszange, die die Ärztin nun in die Hand nahm, trieb mich noch einmal zur Höchstleistung an. Mit vereinten Kräften, durch Druck auf meinen Bauch, Anfeuern durch Waltraud und Walter, aufmunternde Worte der Hebamme, den Satz der Ärztin

„jetzt kommt es" und einem letzten Kraftakt meinerseits wurde unser Kind geboren. „Herzlichen Glückwunsch, Familie Plößer, Sie sind Eltern eines gesunden, kräftigen Jungen, wie soll er denn heißen?" „Ähm, wiebittewas?" Ich verstand gar nichts mehr, stand völlig neben mir, war ausgepowert und konnte nicht glauben, was ich da hörte. Ich kramte in meinem Kopf, welchen Namen wir ausgesucht hatten, da erlöste mich Walter. „Tobias soll er heißen", teilte er den Anwesenden mit und bestaunte glücklich seinen Sohn.

Der Arzt trat an unsere Seite und klärte uns darüber auf, dass sich Tobias bei der anstrengenden Reise ans Tageslicht das linke Schlüsselbein gebrochen hatte, was auch erklärte, dass er so markerschütternd schrie. Man muss sich das mal vorstellen. Eben noch im wohligen, schön warmen Mutterleib und als Willkommensgruß gleich grausame Schmerzen. Der Arzt versicherte uns, dass die Schulter schnell heilen würde und keine Behandlung nötig sei. Nur sollten wir sachte und achtsam sein beim Baden, Ankleiden und im Umgang mit Tobias.

Walter ließ seinen Sohn nicht eine Sekunde aus den Augen, alles wurde genau beobachtet und jedes Wort der Ärzte verfolgt. Nach unseren traumatischen Erfahrungen der ersten Geburt war sein Verhalten durchaus zu verstehen und die Ärzte nahmen sich Zeit und erklärten alles genau. Die erste Beurteilung unseres Buben war ein „sehr gut", und so konnte unser kleiner Spatz endlich gebadet und versorgt werden.

Inzwischen verabschiedete sich Waltraud leise von mir und umarmte mich mit tausend guten Wünschen auf den Lippen.

Als mir mein Junge das erste Mal in den Arm gelegt wurde, war ich stumm vor Glück.

Mein Engel sagte nur: „Siehst du, es ist alles gut."

Ja, alles war gut, endlich zog das Glück bei uns ein. Was machte es da, dass die Geburt anstrengend und Walter nur die letzten paar Minuten dabei sein konnte? Nichts. Alles war gut.

Erst als Walter die Kunde vom gesunden Sohn gab, wurde uns zum ersten Mal bewusst, wie sehr alle Menschen aus unserem Umfeld an unserem Leben teilnahmen. Ob Familie, Freunde, Nachbarn oder auch nur entfernt Bekannte. Die Anteilnahme war überwältigend. Ganze Karawanen wanderten durch das kleine Zimmer, in dem ich mit Tobias untergebracht war. Glückwunschkarten und Blumensträuße wurden von Boten gebracht, die Schwestern freuten sich mit uns und drückten gerne ein Auge zu. Dennoch kam Tage später die Oberärztin und bat mich, auch an mich und das Kind zu denken. Bald würden wir zu Hause sein, da könnte es nicht schaden, noch etwas zu ruhen. Also verordnete Walter ein Besucherstopp und bat die Leute um Verständnis.

Am Nikolaustag war der große Tag. Walter holte uns nach Hause. Bereits in der Einfahrt begrüßten uns die Freunde und unsere Familie, am Garagentor prangte ein riesengroßes Plakat mit einem „Herzlich Willkommen" darauf, der Gartenzaun und die Haustüre waren mit Luftballons geschmückt. Ich war zutiefst gerührt über die Anteilnahme und konnte meine Tränen nicht verbergen. Dennoch baten wir um eine kleine Eingewöhnungszeit und versprachen, dass wir jeden herzlich willkommen heißen würden und alle unser Kind bestaunen dürfen, sobald wir uns eingelebt hätten.

Seelen-Barometer

2000-2004

Dass Tobias kein Friede-Freude-Sonnenschein-Baby war, wird dir sowieso klar sein. Das wäre wirklich zu einfach gewesen. Dennoch werde ich dir hier nicht von Schlafentzug, Babybrei, Krabbelalter oder vom ersten Zahn vorjammern. Nein, ich erzähle von den Lektionen, die ich durch unser Kind gelernt habe. Denn Tobias ist mein größter Lehrmeister gewesen und ist es immer noch.

Schon bald musste ich feststellen, dass Tobias wie ein Barometer auf mich reagierte. Nun, das ist nichts Neues, wirst du vielleicht denken. Schließlich weiß fast jeder, dass Babys auf die Gefühle der Mama reagieren. Ja, das stimmt. Doch ich lernte dabei vieles über mich. Und ich bin überzeugt, wenn man die Botschaften seiner Kinder versteht, wäre es für alle Beteiligten leichter, miteinander ein harmonisches Familienleben zu führen. Gut, davon bin ich auch oft weit entfernt. Aber ich arbeite daran und meist funktioniert es ganz gut. Ich bin heute so auf meinen Sohn geeicht, dass ich beim kleinsten Zwischenton sofort bei *mir* gucke.

Dachte ich zunächst ja noch, dass ich schon viele meiner Muster und Prägungen erkannt und abgelegt hatte, musste ich nun feststellen, dass dies keineswegs der Fall war. Im Gegenteil. Das ging beim Bäuerchen machen schon los. Baby machen nach dem Trinken nun mal ein Bäuerchen! So trug ich Tobi oft lange Zeit in der Wohnung auf und ab, in der Hoffnung auf den erlösenden Hicks. Mein Sohn brauchte das aber nicht! Doch bis ich das kapiert hatte, war er es gewöhnt, nach der Mahlzeit von mir umhergetragen zu werden. Das war ganz alleine meine

Verantwortung. Hätte ich nicht nach einem Muster gelebt und einfach meinem Gefühl vertraut, hätte ich ihn nach der Mahlzeit in sein Bettchen gelegt und die Zeit für mich genützt. Stattdessen war ich sauer, dass die Fütterzeiten so anstrengend waren. Gut, das ist ein banales Beispiel, doch rechne mal alle Muster zusammen, die du lebst. Dann kommt eine Menge an Frust dabei heraus, der nicht sein müsste. Allein bei der Kindererziehung.

Kinder müssen warm eingepackt werden. Sie sollten immer Hausschuhe tragen, dreimal am Tag essen, einmal davon warm. Sie brauchen Milch und Gemüse für das Wachstum und dürfen niemals mit nassen Haaren nach draußen. Alles Quatsch! Tobias hatte uns eines Besseren belehrt: „Mami, ich brauche keine Hausschuhe, ich will den Boden spüren. Ich weiß, was mein Körper braucht, heute möchte er Nudeln. Mein Körper ist immer warm. Ich esse meine Milch im Joghurt. Warum soll ich krank werden? Ich bin immer gesund!"

Seit unser Sohn gelernt hat, seine Socken selbst auszuziehen, tut er das. Seit er sich selbst anzieht, geht er barfuß in der Wohnung. Dass er Socken in den Schuhen braucht, ist ihm selbst klar geworden.

Seit er gelernt hat, sich auszuziehen, läuft er in der Wohnung nur mit Boxershorts herum, Sommer wie Winter. Kannst du dir vorstellen, dass es gar nicht einfach war, uns gegen die tausend guten Ratschläge der Besucher durchzusetzen und uns hinter unseren Sohn zu stellen? Aber es tut unserem Familienleben gut. Und wem schadet es? Tobias war in seinem Leben bisher nur dreimal leicht erkältet und einmal hatte er Husten!

Beim Essen frage ich, was er haben möchte. Wenn er nichts will, auch gut. Muss er halt bis zur nächsten Essenszeit warten. Ich war extra beim Kinderarzt und erkundigte mich besorgt wegen der Gewohnheiten meines Kindes. Der meinte: „Gut so, die Kinder wissen immer noch selbst am besten, was sie brauchen."

Immer deutlicher wurde mir bewusst, wie sehr auch ich schon wieder mein Kind prägte mit meinen Aussagen und Verhaltensweisen. Genau das, was ich vermeiden wollte. Also musste ich schnellstens lernen, jede meiner Anweisungen oder Ausführungen zu hinterfragen: „Sagst du das jetzt, weil es in deiner Kindheit auch so war, oder weil es halt so gemacht wird, oder ist das deine wirkliche Meinung und hast du auch eine Erklärung dafür?"

Viel zu oft war es nur ein Muster aus meiner eigenen Kindheit, oder ein Generationsmuster das ich immer noch lebte. Und wie oft musste mein Sohn hören: „Weil ich es sage", wenn er wissen wollte, warum ich dies oder das jetzt von ihm erwartete oder etwas verbot, das er machen wollte.

Nein, darauf bin ich nicht stolz! Es macht den Kindern das Leben sehr schwer, wenn sie solche unsinnigen Antworten zu hören bekommen. Doch die wenigsten Kinder geben sich damit noch zufrieden. Es ist eine neue Generation im Anmarsch. Auf diese neuen Kids sind unsere Erziehungsmethoden nicht mehr anzuwenden. Nun liegt es an uns, neue Konzepte zu entwickeln, angepasst an unseren Nachwuchs. Unsere Kinder hinterfragen, diskutieren, widersprechen und wollen für alles eine Erklärung. Recht haben sie! Denn diese neue Generation wird erwachsen und bringt die Veränderung, die wir uns alle so sehr wünschen. Nun ist es an uns, unsere Kinder zu unterstützen und die Hilfe anzunehmen, die sie uns bieten: Uns aus unseren Mustern und Prägungen zu befreien! Das sind aber nur die Dinge, die im Außen stattfinden. Viel subtiler sind die Botschaften und Hinweise, die

uns unsere Kinder im Alltag, im Zusammensein mit ihnen geben. Ich spreche absichtlich von *unseren* Kindern,
denn ich habe gelernt, dass alles, was ich schreibe, nicht
nur meinen Sohn betrifft, sondern seine Generation. Also
die Kinder, die seit den 90er Jahren geboren wurden.
Man nennt sie auch „Die Kinder der neuen Zeit".

Sie sind unsere Spiegel, sie gehen in Resonanz mit uns,
den Eltern, und zeigen uns sehr deutlich unsere eigenen
Defizite, unsere Stimmungen und Dinge, die wir aus-
blenden wollen. Unsere Kinder haben ein sehr ausge-
prägtes Gespür für Schwingungen und zeigen das auch
sehr deutlich: durch Wohlbefinden oder Aufsässigkeit.

Es ist schwer zu verdeutlichen, was ich durch meinen
Sohn alles über mich selbst gelernt lernte. Im Grunde
habe ich mich durch ihn noch einmal vollkommen gewandelt. Ich lernte zu erkennen und verstehen, was mir
jedwede Disharmonie seitens Tobi mitzuteilen versucht.
Mit ein bisschen Übung und der Bereitschaft, offen und
ehrlich die Tatsachen zu betrachten, ist dies ganz leicht
und einfach. Natürlich gefällt mir nicht immer, was mir
gezeigt wird. Aber auch hier steht mir mein Engel immer
bei und unterstützt mich mit den richtigen Ideen und Im-
pulsen. Schon sehr bald habe ich die Erfahrung gemacht,
dass Tobi auf alles reagiert, was Schwingung hat. Also
auf Personen, Gegenstände und jede Art von Situation, in
der es um zwischenmenschliche Gefühle geht. Schon als
ganz kleines Baby fühlte er sich bei friedvollen und aus-
geglichenen Personen am wohlsten. Jede kleine Schwan-
kung im Wohlbefinden der betreuenden Person, also
auch bei mir oder Walter, führte dazu, dass Tobi lauthals
schrie. Auch das Leben im Hier und Jetzt hat mich mein
Sohn gelehrt. Wann immer ich mit meinen Gedanken
davon galoppierte und nicht mehr voll und ganz bei mei-

nem Sohn verweilte, bedankte er sich mit Quengelei. War ich aber mit meiner ganzen Aufmerksamkeit bei Tobias, bekam ich ein strahlendes Babylächeln.

Das wiederum führte dazu, dass ich nun das tue, was ich gerade tun möchte, voll und ganz. Es macht keinen Sinn, Dinge zu tun und sich gedanklich mit etwas anderem zu beschäftigen oder sich darüber aufzuregen. Dann macht man jede Sache nur halb. Selbst die Angewohnheit, bügeln und gleichzeitig fernzusehen, habe ich abgelegt. Seither bin ich viel schneller bei der Hausarbeit und der Vorteil ist, dass die Dinge zu meiner vollen Zufriedenheit erledigt werden. Verstehst du, was ich meine? Es geht darum, deinem Kind die volle Aufmerksamkeit zu geben während der Zeit, in der du dich mit ihm beschäftigst. Auch du solltest dich dir voll und ganz widmen, während du etwas für dich tust. Wenn du also ein Buch liest, lese nur das Buch und denke nicht noch nebenbei darüber nach, was es heute zum Abendbrot gibt. Wenn du den Hausputz machst, tu es mit all deiner Kraft und bleib in Gedanken dabei. Schaust du dir einen Film an oder bist du beim Sport, mache es mit all deiner Aufmerksamkeit und gebe dein Bestes. Das ist Leben im Hier und Jetzt. Wenn es ein Hindernis zu überwinden oder eine Herausforderung zu lösen gibt, gehe mit deinen Gedanken voll und ganz hinein, gebe dir die Zeit dafür und putze nicht noch nebenher die Fenster. Schließlich will auch jedes Problem ernst genommen werden, nicht nur Kinder. Schwierigkeiten kommen nicht aus Spaß, um dich zu ärgern, sondern um dir etwas aufzuzeigen, was nicht im Lot ist. Also ist es sicher nicht zu viel verlangt, dich damit, mit all deinen Sinnen, auseinanderzusetzen und hineinzuspüren. Man macht es sich zu einfach, dem Kind den Schwarzen Peter zuzuschieben. „Ach, ist Lisa heute nervig, wieso weint sie denn ständig? Anna-Lena ist zurzeit so widerborstig, die macht mich ganz fertig. Lukas will einfach nicht folgen. Hans-Peter ist so aggressiv, der haut immer die anderen Kinder. Florian will nicht stillsitzen. Und die Marleen ist immer so introvertiert."

Besser wäre es zu hinterfragen: „Was will mir mein Kind mitteilen, wo muss ich bei mir hinschauen?!"

So könnte Lisa dich aufmerksam machen, dass du genervt bist und am liebsten weinen würdest. Anna-Lena zeigt dir vielleicht deinen Teil, der sehr widerborstig ist. Lukas macht dich vielleicht auf deinen eigenen Rebell in dir aufmerksam und will, dass du das erkennst. Hans-Peter lebt womöglich deine eigene Aggressivität und zeigt dir, dass du nicht mit Wut umgehen kannst. Möchtest du manchmal am liebsten alles kleinschlagen? Und der Florian und die kleine Marleen zeigen dir Seiten, die du unter Umständen an dir nicht magst und möchten dich dazu auffordern, dich damit auseinanderzusetzen!

Ja, das ist mühsam, das gebe ich gerne zu. Aber ich verspreche dir, wenn du nur ein bisschen ehrlich zu dir bist und es zulässt, die „Macken" oder „Auffälligkeiten" der Kinder mal aus diesem Blickwinkel zu betrachten, werden dir ganze Kronleuchter aufgehen. Selbstverständlich können Papa, Oma, Opa oder andere Bezugspersonen gespiegelt werden. Das kommt darauf an, welche Leute im Umfeld des Kindes leben.

Mit ein bisschen Beobachtungsgabe und echtem Interesse wirst du bald darauf kommen, welche Potentiale in deinem Nachwuchs stecken.

Ich habe mich darauf eingelassen und bin reich belohnt worden.

Viel zu früh kam die Zeit, da unser Sohn auch schon flügge wurde. Erste Erfahrungen mit der großen, weiten

Welt stürmten auf Tobi ein und damit auch in unser bisher beschauliches Familienleben. Der erste Zank, bittere Tränen und auch mal die eine oder andere kleine Verletzung mussten ausgestanden werden.

Neue Impulse kamen in unsere Familie und da Tobi schon mit drei Jahren sehr selbständig war, brauchte es neue Regeln und Konzepte.

Von nun an bat ich immer die Engel um Begleitschutz für unseren Wildfang. Bald war die Straße erobert, es folgten die näheren Nachbargrundstücke und der nahe gelegene Spielplatz. Tobi wollte immer alles *alleine machen* und bestand zum Beispiel darauf, allein mit dem Rad zu fahren. Dies hatte er sich schon mit 20 Monaten beigebracht. Je wilder, je besser, das war und ist sein Lebensmotto. Nun war mein Vertrauen gefragt. Mehr denn je, da er Angst vor Gefahren nicht kannte. Doch ich wollte es vermeiden, ihm meine Ängste in den Rucksack zu legen und ließ ihn gewähren.

Die Engel hatten in dieser Zeit sicher einiges zu tun, doch mein Vertrauen zahlte sich aus. Er wuchs zu einem offenen, freundlichen und selbstsicheren Kleinkind heran. Einige Blessuren waren natürlich nicht zu vermeiden, doch mit Helm und Schützer ausgerüstet blieb alles im grünen Bereich. Seine motorischen Fähigkeiten sind sein größtes Potential. Es gab nichts, das er nicht gelernt hätte, in einem Tempo, das uns manchmal die Sprache verschlug. Ich bin überzeugt, dass das mit unserem Vertrauen zu tun hatte. Die Fähigkeiten hat er natürlich, doch unser „gewähren lassen" ermöglichten ihm, es nach seinem Tempo auszuleben und umzusetzen.

Tobias bekommt so viel Freiraum wie möglich, aber auch so viele Grenzen und Regeln wie nötig. Innerhalb dieser Grenzen und Regeln kann er sich aber frei bewegen. So hat er eine feste Zeit in der Woche für Computer & Co, die er aber frei wählen darf. Ist die Zeit schon Mitte der Woche verbraucht, gibt es keinen Nachschlag. Das weiß er und hält sich daran.

Wir haben von vornherein unser Handeln immer erklärt, auch warum und wieso dieses oder jenes sein muss oder nicht sein kann. Er weiß, dass wir nichts willkürlich oder aus der Laune heraus verbieten, oder etwas von ihm verlangen, das keinen Grund hat.

Wir halten regelmäßige „Konferenzen" am Familientisch. Da wird von Zeit zu Zeit über alles gesprochen, wir verhandeln, sprechen über Probleme und mögliche Veränderungen werden gemeinsam diskutiert. Tobi hat volles Mitspracherecht und darf seine Meinung frei äußern. Die Wünsche von allen werden aufgegriffen und nach Möglichkeit umgesetzt. Diese Gespräche werden im Hier und Jetzt geführt, wir sind dann ausschließlich damit beschäftigt, Lösungen zu finden.

Für uns gibt es nur eine Regel: Ein Kind braucht Regeln, die es versteht und nachvollziehen kann. Damit haben wir schon sehr früh begonnen, ich würde sagen, etwa zu der Zeit, als Tobi in den Kindergarten kam.

Die Eingliederung in den Kindergartenalltag fiel ihm nicht leicht. Er, ein Einzelkind, musste nun plötzlich in ein soziales Umfeld eingefügt werden. Es gab viele Tränen und noch mehr Tobsuchtsanfälle, aber mit der Zeit lernte er sich zu integrieren. In dieser Zeit meditierte ich fast täglich, bat Gott und seine Engel um Unterstützung und um Hilfe für mich und Tobi.

Was ich mit meinen Erzählungen sagen möchte: Ein Kind ist immer ein Geschenk, ganz klar. Aber es ist noch viel mehr. Es zeigt dir Möglichkeiten, dich selbst kennenzulernen und dich mit anderen Augen zu betrachten.

Wenn du dich vollkommen auf dein Kind einlässt und seine Botschaften ernst nimmst, dann verstehst du, dass es immer ein perfekter Spiegel für dich und dein Umfeld ist. Deine Kinder weisen dir neue Wege, spiegeln dir Themen, und auch Defizite deiner selbst. Aber sie zeigen dir auch deine wundervollen, schönen und liebenswerten Seiten."

Meinem Opa ging es zunehmend schlechter. Zwischenzeitlich lebte er bei meiner Mama, die ihn pflegte und dafür ihre Arbeit aufgegeben hatte. Im Mai 2002 neigte sich seine Lebenskraft immer mehr dem Ende zu. Er war mittlerweile so dement, dass er nur noch Mami und mich erkannte.

Nun teilte der Arzt uns mit, dass wir jeden Tag mit seinem Ableben rechnen müssten. Eines Morgens kam ein Anruf von Mama, ich sollte so bald als möglich zu ihr kommen. Opa lag im Sterben. Ich ging in sein kleines Zimmer und erschrak. Er sah aus, als ob er schon tot wäre. Ich setzte mich zu ihm und begann, mich mit ihm zu unterhalten. Ich war mir ganz sicher, dass Opa jedes Wort verstehen konnte und hatte auch das Gefühl, dass er meine Anwesenheit genau spürte. Den ganzen Vormittag blieb ich bei ihm. Während ich seine Hand hielt, kam er kurz zu Bewusstsein und erkannte mich. Sprechen konnte er nicht, es war zu anstrengend für ihn. Also redete ich und erzählte ihm, dass er heute seine letzte Reise antreten würde und dass sicher seine Mama, sein Papa und seine Brüder schon auf ihn warteten. Ich bedankte mich für seine Liebe und Zuwendung und dafür, dass er immer für mich da war. Am frühen Nachmittag kam nochmals der Arzt und versicherte uns, dass es nicht mehr lange dauern konnte. Es war so schwer für mich, meinen Opa so zu sehen. Ich wollte ihn nicht gehen lassen, konnte mir ein Leben ohne ihn nicht vorstellen. Dennoch wünschte ich ihm von Herzen, dass er friedlich sterben könnte.

Plötzlich hörte ich meinen Opa flüstern. Doch er sprach nicht mit mir, sein Blick war an die Wand geheftet. Gerade so, als ob er dort jemanden sehen konnte. Er sprach zu seiner Mama und hatte Tränen in den Augen. Das Ganze dauerte nur ein paar Minuten, dann war er wieder in den Schlaf geglitten. Ich bin bis heute überzeugt, dass er bereits zwischen den Welten hin und her wanderte und dass seine Familie bereits auf ihn wartete. So flüsterte ich ihm die gleichen Worte ins Ohr wie damals Dominik. Dass er einfach ins Licht gehen sollte, sobald er bereit wäre. Dies waren sehr schwere Stunden für mich, aber auch so kostbare. Ich bin glücklich, dass es mir gewährt wurde, meinem Opa in seinen letzten Stunden nahe zu sein. Dennoch fuhr ich am Nachmittag für ein paar Stunden nach Hause. Es war der Geburtstag meiner Schwiegermama, und ich wollte zumindest gratulieren. Der Anruf kam gegen halb fünf. Opa war gerade verstorben. Ich fuhr sofort hin. Meine Mama berichtete mir später, dass er gewartet hatte, bis er alleine war. Gerade als sie sich für ein paar Minuten ausruhen wollte und im Wohnzimmer auf dem Sofa saß, drängte es sie, wieder zu ihrem Vater zu gehen, da sie wusste, dass er nun für immer gegangen war. Er lag ganz friedlich im Bett, so wie ich ihn von seinen vielen Nickerchen kannte, die er in letzter Zeit so oft gemacht hatte. Nun war auch dieser wichtige Mensch aus meinem Leben gegangen. Es tat weh, aber ich konnte gut mit dem Schmerz umgehen, wusste ich doch, dass mein Opa ein zwar einfaches, aber erfülltes Leben hatte und sein Wunsch, im Kreise seiner Familie alt zu werden, erfüllt worden war.

Die nächsten Monate nahm ich bewusst Abschied von ihm und ließ unser ganzes gemeinsames Leben noch einmal Revue passieren. Auch unser Versprechen, Opi bei Dominik zu beerdigen, hielten wir.

Gegen Ende des dritten Kindergartenjahres bekam ich von der Leiterin der Einrichtung die Aufforderung, mich dort zu einem Gespräch einzufinden. Mit mulmigen Gefühl im Bauch und etwas aufgeregt überlegte ich, was sie von mir wollte. Bereits bei der Begrüßung konnte ich in ihrem Gesicht lesen, dass es jetzt wohl unangenehm werden würde. Unumwunden teilte sie mir mit, dass Tobi „auffällig" wäre und er aus der Rolle fallen würde. Er sei aufsässig, aggressiv und gewalttätig. Er könne sich nicht einfügen, würde gegen die Anordnungen der Kindergärtnerinnen verstoßen und den Ablauf torpedieren.
Uuups. Das war jetzt ein schwer verdaulicher Brocken. „Von welchem Kind redet die eigentlich?", überlegte ich. Sie konnte doch unmöglich Tobi meinen. Ich versuchte ihr zu erklären, dass das Bild, das sie von meinem Kind da malte, unmöglich stimmen konnte. Ihre Schilderung hatte nichts mit dem Jungen zu tun, wie ich ihn kannte. Zu Hause war Tobi ein fürsorglicher und ausgeglichener Junge. Er konnte wunderbar mit kleineren Kindern umgehen und nahm sie oft in Schutz. Er war zwar wild und quirlig, aber wenn man mit ihm Klartext sprach, hörte er sofort damit auf. Er hielt sich an unsere Regeln und befolgte auch Anordnungen. Ich konnte keine Parallelen finden zu dem Verhalten, das mir die Kindergartenleiterin schilderte. Sie empfahl mir dringend, mich mit einem Psychologen in Verbindung zu setzen und äußerte den Verdacht von ADS oder Hyperaktivität. Zerknirscht und niedergeschlagen verabschiedete ich mich mit dem Ver-

sprechen, mit meinem Mann über dieses Thema zu sprechen und mich dann wieder bei ihr zu melden.

Walter fiel aus allen Wolken! Ebenso wie unsere Familienangehörigen, unsere direkten Nachbarn und unsere Freunde. Mit ihnen sprachen wir und holten ihre Meinung dazu ein. Alle waren sich einig: Tobi war wild und vielleicht auch manchmal etwas bockig. Doch so, wie von der Kindergärtnerin geäußert, nahm ihn keiner wahr.

Also ging ich mit ihm zum Kinderarzt, wir wollten seine fachmännische Meinung. Dieser sah es genau wie wir. Tobi war ein aufgewecktes Kind, das Herausforderungen brauchte und feste Regeln mit Absprachen. Außerdem war der Arzt der Meinung, dass er im Kindergarten wohl unterfordert wäre. Wir sollten uns überlegen, ob wir ihn mit fünf Jahren einschulen wollten. Das würde ihm vielleicht gut tun. ADS oder Hyperaktivität schloss er rigoros aus. Also lud ich eine Schulpsychologin in unser Haus ein, sie wollte Tobi in seiner gewohnten Umgebung erleben, um sich eine Meinung zu bilden. Sie erstellte uns ein durchaus positives Gutachten mit dem Vorschlag, Tobi für eine vorzeitige Einschulung testen zu lassen. Langsam nahm das ein Ausmaß an, mit dem wir nicht gerechnet hatten.

Es wurde Zeit, darüber ausführlich zu meditieren!

In der Meditation wurde ich genauestens von meinem Engel aufgeklärt. Dieser sagte mir, dass Tobi nicht sein häusliches Umfeld spiegelte, sondern das des Kindergartens. Die Kindergärtnerinnen seien überfordert und könnten mit den Kindern der neuen Zeit nicht umgehen. Sie hätten noch keine „Bedienungsanleitung" und auch kein Konzept an der Hand. Der Engel bat mich, für den Kindergarten zu beten, auch für die anderen Kinder, die Leiterin und Kindergärtnerinnen. Kurzum: Für den gesamten

Kindergarten sollte ich jeden Tag ein intensives Gebet sprechen. Für Tobi gab er mir ein ganz spezielles, dieses schrieb ich nieder legte ich sogar unter sein Kopfkissen.

Trotzdem ließen wir unseren Sohn noch für eine vorzeitige Einschulung prüfen. Dieser Test fiel allerdings negativ aus, was uns aber nicht sonderlich stresste, da wir ohnehin nicht vorhatten, Tobi bereits mit fünf Jahren einzuschulen.

Nun betete ich also täglich, sehr intensiv und mit großer Inbrunst, bat um Hilfe und Unterstützung für Tobi, aber auch für den gesamten Kindergarten, inklusive Personal und anderer Kinder.

Jeden Tag trichterte ich Tobi Verhaltensregeln ein und erklärte ihm, wie er sich die Hilfe seines Schutzengels holen konnte. Auch wie er sich aus einer schlechten Laune selbst herausholen konnte, lernte ich ihm.

Glaub es oder auch nicht. Bereits nach drei Wochen wurde ich wieder um ein Gespräch gebeten. Die Leiterin war dieses Mal fröhlich und aufgeschlossen. Ihre erste Frage war: „Frau Plößer, was haben Sie gemacht? Tobi ist wie ausgewechselt, fast als wären es zwei verschiedene Kinder!" Alles sei super, es wäre eine Freude mit Tobi zu arbeiten, er wäre nun ein voll integriertes Gruppenmitglied und alles liefe wie am Schnürchen. Gespannt erwartete sie meine Antwort. Ich bin mir sicher, dass sie mit einem ausgeklügelten Behandlungsplan eines Psychologen und entsprechenden Medikamenten gerechnet hat.

„Nun, ich habe gebetet für euch alle, sonst habe ich nichts gemacht!", antwortete ich ihr wahrheitsgemäß.

Bei meiner Antwort fiel ihr regelrecht die Kinnlade herunter und sie bekam einen geschockten Ausdruck in den Augen. „Von *solchen Sachen* halte ich gar nichts, und auch an das Beten glaube ich nicht, aber wenn es hilft, dann ist es wohl in Ordnung. Ich hoffe nur, dass nicht mit einem Rückfall zu rechnen ist, denn dann müsste ich die Sozialarbeiterin einschalten." Sprach's und machte sich eilig davon.

Ich betete und meditierte weiter, immer, die ganze Kindergartenzeit, bis zum Ende, jeden Tag.
Es gab keinen Rückfall.

Und dann kam „Sie"

Endlich hatte sich wieder alles soweit beruhigt, dass ich mich nun ernsthaft an die Verwirklichung meines Traumes machen konnte. Im Verlauf der Babyjahre hatte ich etliche Workshops, Seminare und Ausbildungen zu verschiedenen spirituellen Themen mitgemacht. Nun wollte ich etwas organisieren, das es mir ermöglichte, mich mit anderen spirituell interessierten Menschen auszutauschen. Ich dachte dabei an einen regelmäßigen, festen Termin, zu dem wir uns treffen und uns gegenseitig unsere Erfahrungen erzählen könnten. So eine Art Club oder wie auch immer man das nennen möchte. Leider tat sich da gar nichts. Obwohl sich in meinem Umfeld schon so einiges veränderte und auch viele Bücher und entsprechende Seminare zu finden waren, spürte ich keine Gleichgesinnten auf. Das machte mich traurig und auch ungeduldig. So lange ersehnte ich mir dies nun schon und nichts deutete darauf hin, dass mein Wunsch endlich Realität werden würde. Langsam kam mein ungeduldiger Widder wieder zum Vorschein und scharrte mit den Hufen. Geduld war und ist noch immer ein großes Thema in meinem Leben. Es fiel mir immer schwerer, mich auf das übliche Geplänkel und sinnlose Gequatsche, die Nörgeleien und leeren Gesprächen einzulassen. Natürlich bemerkte ich auch im Bekannten- und Freundeskreis eine gewisse Wandlung, doch wann immer wir im Gespräch darauf kamen, dass man nur selbst etwas verändern konnte, war das für die meisten zu viel des Guten. Sie wollten lieber auf der rosaroten Esoterik-Welle herum paddeln, Wünsche an den Kosmos abgeben, sich um nichts kümmern und darauf warten, dass sich schon alles für sie zum Besten wenden würde. Meine Erkenntnisse und Einsichten waren zu beschwerlich, als dass sich jemand damit auseinandersetzen wollte. So zog ich mich immer mehr zurück. Mein Mann ging oft alleine zu den Partys oder Grillfeten oder ich verabschiedete mich mit der Entschuldigung, dass Tobi bald ins Bett müsse. Ich wusste damals noch nicht, wie ich damit umgehen konnte, ohne mich selbst zu verleugnen oder die anderen zu bewerten.

Einzig meine Freundin Gabi war bereit, mit mir zu diskutieren. Wir telefonierten oft stundenlang. Dennoch war mir das zu wenig. Wo waren all die Leute, die ich bei den Seminaren kennenlernte, die spirituelle Lehrbücher lasen? Mein Wunsch, mich auszutauschen, nahm immer mehr Raum in meinem Denken und Fühlen ein. Ich kam mir vor wie abgeschnitten, alleine und einsam. Walter nahm mich damals noch nicht richtig ernst. Er dachte wohl, dass sich das schon wieder einrenken und ich wieder die alte Petra werden würde. Nun, das war das Letze, das ich wollte!

Erinnerst du dich an meine Freundin, die, die mich damals, als ich mit Dominik schwanger war, ruck zuck ins Krankenhaus verfrachtete? Ihr Geburtstag stand an und ich fragte am Telefon, ob ich auf eine Tasse Kaffee vorbeischauen dürfte. Am Ehrentag sei sie nicht daheim, wurde mir erklärt, dafür sollte ich doch einen Tag später kommen, es seien auch ein paar andere, interessante Frauen da. Meine Freundin meinte, wir würden gut zusammenpassen. Als ich klingelte, war ich schon gespannt darauf, wer sich da so alles tummelte. Eine lustige Kafferunde begrüßte mich herzlich, ich kannte keine der Damen. „Zwei kommen noch", rief meine Freundin und brachte mir ein großes Stück Kuchen. Die Ladys waren alle in meinem Alter, hatten ihre Kinder dabei, kicherten und lachten. Es war eine leichte, angenehme Atmosphäre. Da klingelte es und meine Freundin sprang auf, um die Nachzügler einzulassen. Die Begrüßung im Flur ließ mich aufhorchen, eine Stimme nahm mich gefangen. Ich war gespannt, wer da jetzt kommen würde. Die Tür ging auf und da stand sie. Ich erkannte sie sofort. Nicht mit meinen weltlichen Sinnen, nein, mit dem Herzen oder meiner Seele. Diese Frau war mir vom ersten Moment an vertraut. Ob es ihr ebenso erging, weiß ich nicht, aber ich „spürte", das ist jemand, den kennst du aus einem anderen Leben. Sie setzte sich neben mich und innerhalb weniger Minuten waren wir in ein Gespräch vertieft. Gisela, so hieß sie, war um die 60 Jahre, sehr gepflegt, mit einer unglaublich charismatischen Ausstrahlung und guten Umgangsformen. Die Dame, welche mit ihr kam, war ebenfalls eine gepflegte Erscheinung, ein paar Jährchen älter als ich und sehr sympathisch. Gisela hätte meine Mutter sein können, dennoch war da sofort eine freundschaftliche Schwingung und ich sah (und sehe) in ihr meine Seelenfreundin. Aber nun erst mal weiter …

Im Verlauf der Gespräche stellte sich heraus, dass Gisela ebenfalls ein sehr bewegtes Leben hatte, sehr spirituell eingestellt, und auf der Suche nach Gleichgesinnten war! Welch ein *Zufall*, gell? Sie und ihre Begleiterin wünschten sich seit langem eine Gruppe zum Austausch und zum Lernen. Was sagst du nun? Wird das nicht immer alles toll eingefädelt von unseren geistigen Freunden, unseren Schutzengeln? Wir redeten und redeten viele Stunden, die Zeit verlief wie im Fluge und als ich auf die Uhr guckte, hatten wir vier Stunden verquatscht. Am Ende hatten wir beschlossen, jeden Monat einen offenen Treff in einem Lokal zu veranstalten. Jeder sollte willkommen sein, wenn er oder sie sich ebenfalls über das Leben im Allgemeinen und die Spiritualität im Besonderen austauschen wollte. Ich konnte mich einfach nicht loseisen. Doch langsam wurde es Zeit für mich. Walter war mit Tobi allein und die beiden hatten bestimmt schon Hunger. Obwohl ich ja ein seltenes Exemplar von Mann habe, der weiß, wo der Kühlschrank steht und sogar den Brotkasten findet. Nachdem wir unsere Visitenkarten ausgetauscht, uns herzlich verabschiedet und uns versprochen hatten, miteinander zu telefonieren, fuhr ich heim. Zuhause war ich wie elektrisiert. Ich erzählte Walter von den Ereignissen des Tages und er teilte meine Freude, dass ich nun offensichtlich ein paar Menschen gefunden hatte, die meine Gesinnung teilten. In dem Bewusstsein, dass sich nun vieles ändern würde, schlief ich ein. Nichts ahnend, dass meine Achterbahngondel schon wieder im Anflug in einen neuen, aufregenden Lebensabschnitt war.

An dieser Stelle möchte ich gerne erzählen, dass ich meine Freundin nach ihrem Geburtstag nur noch einige Male traf. Ich war nie wieder bei ihr und privat sahen wir uns auch nicht mehr. Nicht dass du jetzt denkst, wir hätten uns gezankt, nein! Unsere Freundschaft verlief einfach im Sande. Wenn wir uns mal treffen, tauschen wir Neuigkeiten aus, auf einer ganz netten, freundlichen Ebene. Du kennst das sicher! Es gab nichts, keinen Streit, keinen Groll. Es war vermutlich so, dass sie sehr wichtig dafür war, dass Gisela und ich uns kennenlernen konnten. Auch Gisela hatte von da an keinen Kontakt mehr mit ihr. Sagen wir mal so: Meine Freundin hatte ihre Aufgabe in meinem und in Giselas Leben wohl mit Auszeichnung zu Ende gebracht. Damit hatte diese immerhin 20-jährige Freundschaft ihren Zweck wohl erfüllt und ich bin bis heute sehr dankbar, dass sich meine Freundin dafür zu Verfügung gestellt hatte.

Von nun an begann mein Leben, wieder in eine völlig neue Richtung zu gehen. Das erste Treffen fand ein paar Wochen später statt. Gisela und ich hatten unseren Bekannten und Freunden gesagt, dass sie herzlich willkommen seien, an unserem Austausch teilzunehmen. Noch heute bin ich verwundert darüber, dass wir eine Gruppe von acht Teilnehmern waren und das bereits beim ersten Treffen. Es ging lustig zu, wir hatten viel zu reden, tauschten uns über unsere Lebenserfahrungen aus und beschlossen am Ende des Abends, von nun an regelmäßig einen Termin für die nächste Zusammenkunft zu vereinbaren. Die Teilnehmer wechselten sich ab, mal kamen neue, mal blieben welche aus. Nach ein paar Monaten hatte sich ein fester Kern von sechs Frauen und zwei Männern gebildet. Wir unterstützen uns bei unseren aktuellen Themen und halfen uns gegenseitig, diese zu bewältigen und zu verstehen. Die Freundschaft mit Gisela wuchs und wurde immer tiefer. Wir verstanden uns prächtig, konnten über alles reden und telefonierten fast täglich. Immer mehr wurde uns bewusst, dass diese Beziehung im Himmel geplant und von unserer Seele herbeigeführt wurde, und dass es dabei wohl auch darum ging, uns gegenseitig auf unserem Weg zu unterstützen. Der Altersunterschied von fast 25 Jahren spielte für uns beide keine Rolle, im Gegenteil, er war uns noch nicht einmal bewusst. Nur wenn mir Gisela mit ihrer Lebenserfahrung zur Seite stand, wurde das für mich greifbar. Ansonsten verstanden wir uns einfach wie zwei beste Freundinnen, allerdings mit einem großen Unterschied. Wir unterhalten uns nicht über die neueste Mode, Klatsch und Tratsch, sondern der Inhalt unserer Gespräche ist sehr viel tiefer. Wir sprechen über die universellen Gesetze und analysieren gemeinsam unsere Probleme und Herausforderungen dahingehend, weshalb, wieso und warum gerade dieses Thema bei ihr oder bei mir jetzt auf dem Tisch ist, oder welches Muster dahinter steht. Absolute Ehrlichkeit und egofreies Denken half uns immer wieder dabei, gemeinsam eine Lösung zu finden. Meine Freundin Gabi war vom ersten Gruppentreffen immer mit von der Partie. Da sie damals in einer großen Lebenskrise steckte, nahm sie die Gelegenheit wahr, die Dinge, die ihr schwer zu schaffen machten, von der Seite der Seele aus zu begreifen. Nach und nach folgte mir Gabi auf meinem Weg, arbeitete ebenso hart an sich, wie ich Jahre zuvor. Auch sie musste die Verantwortung für ihr Leben übernehmen, an ihren Glaubenssätzen und Mustern arbeiten, ihren Selbstwert anschauen und aus der Bewertung herausgehen. Auf ihrem Weg durfte ich sie mit Rat und Tat begleiten. Mir wurde erst sehr viel später bewusst, dass die „Arbeit" mit Gabi quasi der Grundstein meiner späteren Berufung war. Auch diese Freundschaft wuchs und wurde noch tiefer und ehrlicher. Wann immer Gabi Hilfe brauchte, etwas verstehen musste, oder am Rande ihrer Kraft angekommen war, half ich ihr, wieder in ihre Mitte zu kommen, die richtigen Erkenntnisse für sich zu finden und die Angelegenheit aus einer anderen Perspektive zu betrachten. Somit hatte ich nun zwei wunderbare Freundschaften, die getragen wurden von unserem Glauben an Gott und seine Gesetze. Im Laufe der Zeit freundeten sich Gabi und Gisela ebenfalls an und verstanden sich prächtig. Doch zurück zum Thema. Habe ich schon erwähnt, dass Gisela eine begnadete Astrologin ist? Nun, natürlich kannst du dir denken, dass es nicht lange dauerte und ich von ihr ein umfassendes Geburtshoroskop erstellt bekam. In einer mehrstündigen Beratung zeigte sie mir meine Potentiale, Defizite, Veranlagungen und auch meine Lebensaufgabe anhand meiner Geburtsdaten auf. Wie elektrisiert folgte ich ihren Ausführungen, die mich erst mal sprachlos werden ließen. Es gab viele Parallelen mit dem Horoskop, das mir die Astrologin Jahre vorher am Telefon erklärte. Um ehrlich zu bleiben, muss ich zugeben, dass ich dachte, dass das nicht stimmen konnte, denn diese Aussagen waren für mich fast etwas zu „phantastisch", das konnten doch niemals meine Aufgaben sein! So wäre es für mich Bestimmung eine Art Beratungspraxis zu führen, Menschen in Lebenskrisen zu begleiten, mit geistigen Wesen zu kommunizieren (obwohl ich das ja bereits tat) und auch ein schriftstellerisches Talent sei vorhanden. Außerdem hätte ich die Gabe, übergeordnet, also auf einer anderen Ebene, Dinge zu verstehen, Zusammenhänge zwischen Himmel und Erde zu erkennen. Aha. Nun gut, das musste ich erst sacken lassen. Aber je länger ich darüber nachdachte, umso mehr Sinn machte es für mich. Wozu sonst sollten all unsere Erfahrungen dienen, wenn nicht dafür, dass ich dadurch anderen Menschen helfen konnte? Schließlich hatte ich selbst schon ähnliche Überlegungen angestellt. Wenngleich mich der Gedanke an eine Beratungspraxis auch etwas ängstigte, konnte ich es mir sehr gut vorstellen, mit meinen Erkenntnissen und Erfahrungen Menschen in Lebenskrisen zur Seite zu stehen.

Neuland

Mit der Zeit begann Gisela mich zu „schubsen". Immer wieder ließ sie in unsere Gespräche Fragen einfließen, die mich zum Handeln bewegen sollten. Bis sie eines Tages zu mir sagte: „Petra, ich glaube, es ist an der Zeit endlich damit anzufangen. Was hältst du davon, erst einmal mit Vorträgen zu Themen wie Seelenwachstum, Gedankenkräfte und Engel zu beginnen?" Ich? Vorträge? Und das noch vor mehreren Menschen? „Nee, das kann ich gar nicht!", war meine Antwort. „Und wo soll ich die Vorträge hervorzaubern?", fragte ich. „Na, die schreibst du und liest sie den Leuten vor!" „Aber Gisela, wer soll da schon kommen, hier bei uns interessiert sich doch kein Mensch für solche Themen", erwiderte ich. „Das kannst du doch gar nicht wissen, bevor du es ausprobiert hast." Da hatte sie nun auch wieder recht. So bauten wir das Thema immer weiter aus und je länger wir darüber sprachen, umso mehr Lust bekam ich darauf. „Gut, ich mache das, aber du hältst dann auch Vorträge, zum Beispiel über Astrologie oder über die Macht der Gedanken", wollte ich sie einwickeln. Ich weiß bis heute nicht, ob sie zustimmte, weil sie mich dazu bringen wollte anzufangen oder deshalb, weil sie auch Lust darauf hatte, etwas Neues zu beginnen. Jedenfalls hatten wir am Ende des Gesprächs einige Vortragsthemen im Kopf ausgearbeitet. Gisela würde ein Thema zur Astrologie und eines über die Gedankenkräfte vortragen, ich über die Engel und Erzengel und wie diese uns im Alltag zur Seite stehen. Mein Engel sagte dazu gar nichts, aber ich wurde mit seiner wunderschönen Energie durchflutet. Es fühlte sich gut an, auch wenn es mir unvorstellbar erschien, dass überhaupt ein Mensch kommen würde. Erst einmal wohnten wir am Ende der Welt und mehr, als Flyer zu verteilen und unseren Bekannten Bescheid zu geben, wollten wir als Werbung nicht machen. Na, da hatte ich mich ja auf was eingelassen. Ich und Vorträge schreiben, nein wirklich, das klang so was von lächerlich, dass es schon wieder klappen konnte.

Der erste Termin war auch gleich gefunden, viel zu früh für mein Empfinden. Ich hatte gerade mal einen Monat Zeit, um die Vorträge auszuarbeiten, einzustudieren und in den Computer zu tippen. Viel zu wenig Zeit! Ich bekam direkt Panik, wenn ich daran dachte, vor einem Publikum zu sprechen. Meinem Engel schien diese Idee aber zu gefallen. Denn fortan wurde ich permanent mit Ideen und Gedanken durchflutet, die ich für meinen Vortrag verwenden konnte. Genau genommen war ich in Gedanken nur noch bei meinen Engelvorträgen und ich kann nicht sagen wie, aber nach zwei Wochen war der erste fertig getippt und schon eingeübt. Da traf es sich ja gut, dass ich noch genug Zeit hatte allen meinen Bekannten, denen ich ein gewisses Interesse unterstellte, Bescheid zu geben. Damals hatte ich mit meiner Freundin und Schwägerin Diana ein kleines Geschäft. Wir boten alle möglichen Services an, hatten ein paar Kleinigkeiten zum Verkauf und wollten nun, am Abend, die Räume für die Vorträge nutzen. Der Vermieter war einverstanden und Diana unterstützte mich. Gemeinsam machten wir uns an die Vorbereitungen und die Gestaltung des Flyers. Wir organisierten Stühle, Kekse, Getränke und Musik zur Untermalung.

Der Termin rückte immer näher, ich wurde immer aufgeregter und dass sich bereits über zehn Leute angemeldet hatten, machte mein Lampenfieber auch nicht besser.

Vorsichtig lugte ich durch den Vorhang in den Verkaufsraum. Der war proppenvoll, 15 Menschen saßen dicht an dicht auf den Klappstühlen und warteten auf meinen Vortrag. Mir war schlecht, ich zitterte und konnte nur noch flüstern. Höchste Zeit meine Engel um Unterstützung zu bitten und in meine Mitte zu kommen. Diana und Gisela sagten mir aufmunternde Worte und versuchten mir Mut zuzusprechen. Es half nichts. Ich verzog mich ins WC und machte eine kurze Meditation. Ich bat Erzengel Michael und Gabriel um Führung und Unterstützung. Gut. Jetzt war ich ruhiger. Augen zu und durch! Schwungvoll trat ich hinter dem Vorhang hervor und begrüßte meine Gäste. Ich stellte mich kurz vor, erzählte ein bisschen über mich und mein Leben, auch warum es mir wichtig war, über die Engel zu sprechen. Dann begann ich meinen Vortrag. Zuerst noch zögerlich und mit zittriger Stimme, dann immer zügiger, und plötzlich war ich in meinem Element. Es lief super. Ich hatte die Aufmerksamkeit meines Publikums erlangt, gespannt hörten alle Anwesenden zu. Am Ende bekam ich einen liebevollen Applaus, stand Rede und Antwort, gab Ratschläge zu dem Thema Engel und darüber, wie sie uns im Leben beistehen. Es war ein langer Abend, erst gegen 23 Uhr machten die ersten Gäste Anstalten zu gehen. Als der letzte die Türe hinter sich schloss, sackte ich zusammen. Ich war total ausgepowert und gleichzeitig wie elektrisiert. Diana und Gisela lobten mich und betonten immer wieder, dass mein Vortrag gut war. Die Reaktionen der Zuhörer gaben mir auch das Gefühl und einige fragten schon nach, wann der nächste Vortrag stattfinden würde.
Von nun an arbeiteten Diana und ich vormittags und einige Stunden am Nachmittag im Geschäft. Am Abend hielten Gisela und ich unsere Vorträge und Gesprächs-

runden. Es lief gut, die Leute zeigten Interesse und die Abende waren meist gut besucht. Es gesellten sich neue Referenten zu uns und sorgten mit ihren Vortragsthemen für Abwechslung. Bald hatten wir alle Hände voll zu tun, dies alles zu organisieren und unsere Flyer aktuell zu halten. Einige Monate später war es tatsächlich geschafft, ein Programm für einen ganzen Monat zu gestalten. Die Themen wurden immer umfangreicher, ich schrieb immer wieder neue Vorträge. Wir griffen die Impulse unserer Zuhörer auf und erweiterten unser Angebot stetig. Um neue Referenten brauchten wir uns selbst gar nicht mehr zu kümmern, denn *zufällig* stolperten diese wie von selbst in unser Leben.

Wir trafen uns mit ihnen einmal im Monat, um die Termine aller Referenten abzustimmen und über neue Themen zu sprechen.

Nach einem Jahr hatten wir uns einen treuen Zuhörerkreis aufgebaut, diese brachten ihrerseits wieder neue Menschen in unsere Veranstaltungen, so dass bald eine gute Nachfrage nach unseren Angeboten bestand. Noch heute staune ich darüber, wie gut alles lief. Fast ohne unser Zutun erreichten wir einen gewissen Bekanntheitsgrad in unserem Landkreis. Auch von weiter her kamen die Interessenten.

Nun habe ich es wieder Giselas Drängen zu verdanken, dass ich anfing für Kunden die Karten zu legen. Für Freunde und meine Familie tat ich das gerne, doch für Fremde traute ich mich das nicht. Doch Gisela war der Meinung, dass die Zeit mehr als reif dafür sei. Sie formulierte es so, dass ich mein Talent doch auch meinem Umfeld zur Verfügung stellen könnte und nicht nur einem kleinen Kreis von Menschen. Auch Gabi machte mir Mut, es wenigstens einmal zu versuchen. Naja, nach langem Überlegen und Zaudern nahm ich meinen ganzen Mut zusammen und bot dies in unseren Flyern an. Binnen kurzer Zeit hatte es sich herumgesprochen, und ich wurde mit Terminanfragen überhäuft.

Mittlerweile hatten wir Seminare, Workshops und mehrteilige Kurse im Angebot, zusätzlich die Vorträge und mein Kartenlegen. Dazu unser kleiner Laden, der auch viel Arbeit machte. Dies war nur zu wuppen, weil meine Schwiegereltern und Walter mit an einem Strang zogen. Sie hielten durch ihre tatkräftige Unterstützung Diana und mir den Rücken für unsere Aufgaben frei.

Umbruch

Nach einem Jahr kam das Aus. Schweren Herzens mussten wir uns von unserem Baby, dem Laden, verabschieden. Über die Umstände möchte ich hier nichts schreiben, da es um sehr persönliche und private Dinge ging. Fakt ist, dass ich in ein tiefes Loch fiel. Ich war traurig, wütend und sehr enttäuscht, dass das so kommen musste. Ja, ich schreibe „musste"! Denn heute verstehe ich den Sinn dahinter und weiß, dass dadurch wichtige Weichen gestellt wurden, die es mir und meiner Familie ermöglichten, wieder einmal neue Wege zu gehen. Mein Mann wurde ein halbes Jahr später sehr krank, musste operiert werden und war danach über ein Jahr arbeitsunfähig. Er hätte mich in dieser Zeit nicht mit Tobi unterstützen können, der ja mittlerweile in die Schule ging und viel Aufmerksamkeit brauchte. Außerdem konnte ich dadurch meine Kundengespräche im Haus verrichten und die Termine so legen, dass sie im Einklang mit Tobi und den Schulzeiten waren. Und zu guter Letzt brauchte mein Mann meine volle Unterstützung, sowohl psychisch als auch mit solch banalen Dingen wie Chauffeurdiensten. All das wäre mit einem Geschäft nicht zu schaffen gewesen. Nicht so einfach jedenfalls.

Damals wusste ich all dies natürlich noch nicht. Vielleicht hilft es dir ein bisschen weiter, wenn ich dir sage, dass in meinem Leben jede noch so schlimme Krise im Rückblick einen Sinn ergab. Ich habe mittlerweile gelernt, mich mit Unveränderlichem abzufinden, weil ich erkannt habe, dass man Vieles erst im Rückblick verstehen kann und es sich meist als richtig erweist. Aber nun weiter.

Wieder war Gisela mein Halt in der Not, denn ein Blick in mein Horoskop zeigte, dass der Abschluss und das Loslassen dieses Ladens eine große Chance für einen totalen Neuanfang in meinen eigenen vier Wänden barg. Meine Horoskop-Konstellationen drängten geradezu darauf, mich auf eigene Beine zu stellen und mit der spirituellen Arbeit endlich in meine Lebensaufgabe zu schlüpfen. Nun, was hatte ich schon zu verlieren? Einzig die Investition in das Verschönern des Dachgeschoss für die Beratungen und die Renovierung eines großen Kellerraums für die Seminare. Aber da gab es zwei Hindernisse. Das Dachgeschoss nutze mein Mann für sein Hobby, den Kellerraum beanspruchte mein Vater als Partyraum. Ich konnte mir nicht vorstellen, dass einer der beiden mir den Raum abtreten würde. Doch da hatte ich die Rechnung ohne den Wirt gemacht. Denn erstens kommt es anders, und zweitens als man denkt.

Mit klopfendem Herzen fragte ich am nächsten Wochenende meinen Papa, ob er mir diesen Raum für meine Arbeit abtreten würde. „Ja", war die Antwort. Wie bitte? Ich konnte mich doch nur verhört haben. „Ja?", fragte ich nochmal nach. „Ja, weil ich keine Partys mehr zu feiern gedenke, nicht im Keller zumindest", hörte ich erstaunt seinen Ausführungen. So leicht war das? Ich konnte es gar nicht glauben. Und mit Walter wiederholte sich das Ganze noch einmal. „Ja", war auch seine Antwort, er würde diesen Raum sowieso nicht ausreichend nützen, und wenn ich ihn brauche, würde er mir alles schön herrichten. Das nennt man dann wohl „offene Türen einrennen".

Binnen kurzer Zeit waren beide Räume renoviert und schön gestaltet. Ich lud unsere ehemaligen Zuhörer und Referenten zu einer Eröffnungsfeier ein, verteilte neue

Flyer und schrieb eine Mail an alle meine Bekannten und Freunde.

Es lief vom ersten Tag an. Zur Eröffnung kamen um die 50 Leute. Meine Referenten fanden sich ebenfalls ein und erklärten sich bereit, Auskünfte über ihre Arbeit und zu ihren Fachgebieten zu geben. Es war ein gelungener Tag. Ich war happy, da sich wohl doch einige Menschen für meine Arbeit und mein „AngelHouse" interessierten. AngelHouse taufte ich mein neues Baby, das nun zum Seminarhaus mutierte.

Ich hatte bald sehr viele Termine in meinem eigens dafür gekauften Terminplaner stehen. Gisela bot Astrologie-Kurse an, es gab Träume-Workshops, Numerologie-Kurse, Aufstellungsarbeit, Angebote für gesunde Ernährung und Reiki-Kurse. Ich hielt Vorträge und gab Kartenlegen-Kurse, um nur einige zu nennen.

Tja, wie gesagt, es lief gut. Erst dachte ich noch, ich müsste unbedingt Werbung schalten und meine Flyer im ganzen Umland verteilen, bis ich merkte, dass darauf niemand reagierte. Naja, ich selbst würde auch nicht auf eine Annonce einen Termin fürs Kartenlegen oder eine Beratung vereinbaren. Das läuft nur über Mundwerbung. Vermutlich waren die meisten meiner Klienten zufrieden, denn mit der Zeit erhielt ich auch Anfragen aus immer weiter entfernteren Orten. Selbst aus Norddeutschland kamen die Menschen zu mir und ließen sich die Karten legen oder in Krisenzeiten beraten. Um auf dem Laufenden zu bleiben, machte ich Aus- und Weiterbildungen. Doch die beste Ausbildung ist das Leben selbst. Nur wer einschneidende Erfahrungen gemacht und bewältigt hat, ist meiner Meinung nach authentisch. Und das merken die Klienten. Meine Beratungen finden nicht nach Schema F statt, sondern werden individuell auf den Kunden und seine Bedürfnisse zugeschnitten. Das ist wichtig, denn was für den einen das Sahnehäubchen ist, macht dem anderen Angst. So entwickelte ich nach und nach mein eigenes Konzept, ich nenne es Beratung und Unterstützung à la Petra.

Ich begleite Menschen in schwierigen Lebenssituationen, in Krisenzeiten oder einfach bei der Selbstfindung. Wir schauen uns Muster und Prägungen an und ich helfe den Menschen, in die absolute Eigenverantwortung zu gehen. Allerdings nehme ich Abstand und gehe auf Distanz mit sogenannten „Heilern" oder „Medien", die mit den Versprechen arbeiten, den Klienten ihre Lasten abzunehmen. Das kann niemand! Auch von Leuten, die versprechen, die Aura zu reinigen, die Chakren zu harmonisieren oder jedwede „negativen Energien" zu neutralisieren, halte ich persönlich nichts. Nicht, dass sie es vielleicht nicht könnten. Nein, das nicht. Aber was, wenn diese „Heiler" mal nicht greifbar sind oder keinen Termin für dich haben? Dann schaust du dumm aus der Wäsche. Die Devise meiner Arbeit lautet: „Lerne, es selbst zu tun", „Lerne meditieren", „Lerne, deine Chakren zu klären und zu harmonisieren", „Lerne, deine Aura von negativen Einflüssen zu befreien." Dann bist du unabhängig und frei von Versprechungen. Ich schreibe das, weil ich immer wieder bass erstaunt bin, welchen Mist sich die Leute einreden lassen. Da wird ihnen erzählt, dass nur der Heiler, die Heilerin dies tun könnte, dass weitere Termine vereinbart werden müssten, um alles in den Griff zu bekommen, dass sie „behaftet" seien und nur mit Hilfe dieses „Heilers" wieder in Einklang mit dem Universum kommen könnten. Quatsch! Aber versteh mich bitte richtig. Ich glaube nicht nur, ich weiß, dass es begnadete Heiler gibt. Ich weiß, dass es mediale Fähigkeiten gibt, zumal ich diese Gabe ebenfalls habe. Ich weiß auch, dass es Menschen gibt, die für dich solche Dinge erledigen können. Ich selbst könnte es. Mit einem Unterschied. Ich mache es nicht!

Warum, fragst du? Weil es abhängig macht, dich in der Unselbständigkeit lässt, und jeder Mensch für seine Aura, seine Chakren und sein Wohlbefinden selbst verantwortlich ist. Deshalb kommen die Menschen zu mir, um es von mir zu lernen. Wir erarbeiten gemeinsam ein Konzept, um für jeden die richtige Lernmethode zu finden. Ich betreue die Menschen bei ihren Lernlektionen und helfe ihnen zu verstehen, warum sie so ticken, so handeln, denken und fühlen, wie sie es nun mal tun. Ohne Bewertung, dafür mit allem Verständnis und Mitgefühl.

So, entschuldige, ich bin abgeschweift. Aber gerade ist es mit mir durchgegangen. Das musste wohl geschrieben werden, warum auch immer. Die Finger flogen geradezu über die Tasten, ich denke, das war mein Engel, der an dieser Stelle ein Wörtchen mitreden wollte.

Also wieder zurück. Ein halbes Jahr nach der Schließung unseres Geschäfts, erkrankte mein Mann schwer. Dadurch gerieten wir wieder einmal in eine Situation, in der es vieles zu bedenken gab. Er wurde operiert und musste anschließend für drei Wochen zu Kur. Kurz vor Weihnachten stand er dann vor den Scherben seines Berufslebens. Die Ärzte waren sich alle einig, dass Walter berufsunfähig bleiben würde.

Langsam dämmerte es mir, wie wichtig es nun war, zuhause zu sein und auch ein regelmäßiges Einkommen zu haben. Da das Krankengeld meines Mannes nur noch ein kleiner Teil dessen war, was wir zum Leben brauchten, war es nun an mir, unseren Lebensunterhalt zu verdienen.

Aber nicht nur das, auch Tobi machte mir große Sorgen. Er kannte seinen Papi nur vital und voller Lebenskraft. Nun musste er mit ansehen, wie sich sein Vater vor Schmerzen wand und litt. Die Lehrerin schlug Alarm und ich musste meine ganze Aufmerksamkeit meinem Jungen geben. Wieder war es an der Zeit, die Engel um Hilfe und Unterstützung zu bitten. Ich betete also intensiv und wirkte in der Meditation für Mann und Kind.

Vormittags hielt ich meine Beratungen ab oder legte für meine Kunden die Karten. Nachmittags kümmerte ich mich um meinen Sohn und half meinem Mann bei seiner Genesung. Langsam ging es wieder bergauf. Walter machte gute Fortschritte, wurde wieder fitter und begann, sich um seine berufliche Tätigkeit Gedanken zu machen. Walter ist ein typisches Beispiel dafür, dass es scheinbar erst immer zu einer Katastrophe kommen muss, bevor man bereit ist, über sein Leben nachzudenken. Ich bin überzeugt, dass seine Seele kräftig am werkeln war, bis es ihm endlich bewusst wurde, dass er im Grunde unglücklich in seinem Beruf war. Mein Mann hat viele Talente und Fähigkeiten, diese konnte er aber in seinem Beruf nicht einbringen. Jetzt musste er sich mit sich selbst auseinandersetzen und darüber nachdenken, wie es weitergehen sollte. Doch dazu später.

Im September 2007 war ich mit einer Freundin zu einem Ausbildungsseminar für Jenseitskontakte bei Colin Bates angemeldet. Aufgrund der Tatsache, dass ich niemals Kontakt zu Paul Meek herstellen konnte, war das eine gute Alternative für mich. Einmal hatte ich zwar gedacht, Paul Meek aufgespürt zu haben, konnte aber nie herausfinden, ob es sich bei den medialen Abenden in München um eine Veranstaltung von ihm persönlich handelte. Eine damalige Freundin hatte mich gebeten, sie dahin zu begleiten, doch im letzten Moment sagte sie mir wieder ab. Daraufhin surfte ich im Internet auf der Suche nach einer Seite, die etwas über Paul Meek zu berichten hatte. Fündig wurde ich bei der Homepage von ihm selbst. Tatsächlich lebte er schon seit vielen Jahren in München und bot Seminare und Ausbildungen an. Doch über den Bildschirm flimmerte ein Durchlauftext. Dort war zu erfahren, dass seine Seminare die nächsten zwei Jahre ausgebucht seien. Aus der Traum! Beim Surfen war ich *zufällig* über eine Seite gestolpert, die über die neuesten Termine für Seminare mit britischen Jenseitsmedien berichtete. Und wie es der liebe *Zufall* so will, fanden diese ganz in meiner Nähe statt. Meine Freundin zeigte ebenfalls Interesse und noch genau zwei Plätze waren im nächsten Seminar bei einem Herrn Colin Bates frei. Dann sollte das wohl so sein. Einen Tag vor dem Wochenendseminar bei Colin Bates war ich in meinem eigenen Seminarraum, um nach dem Rechten zu sehen und ein bisschen Ordnung zu schaffen. Die letzten Vorträge waren gut besucht und jeder Mensch hinterlässt ja so seine Spuren.

Plötzlich stutze ich. Da lag ein [iii]Buch, direkt neben meiner Registrierkasse. Fast hätte ich es achtlos zu Seite gelegt, dachte ich doch, dass es sich um ein Buch aus meinem Fundus handelte, den ich meinen Klienten zur Verfügung stellte. Aber nein, dieses Exemplar war nicht von mir. Als ich es genauer beäugte, stellte ich zu meinem Erstaunen fest, dass das Buch von Paul Meek geschrieben war. Ich war völlig perplex und ich schwöre dir, ich weiß auch bis heute nicht, wie dieses Buch dort hinkam, geschweige denn, von wem es sein könnte. Es stand kein Name drin, auch kein anderer Hinweis. Was das nun bedeuten könnte? Ich dachte, es sei ein Zeichen von meinem Engel, dass die bevorstehende mediale Schulung wichtig für mich sei und ich den richtigen Weg eingeschlagen hatte, als ich mich bei Colin Bates anmeldete.

Wie bei den meisten Seminaren fand auch hier am Anfang das obligatorische Vorstellungsmanöver statt. Jeder sagte seinen Namen, seine Lebensumstände und ein bisschen etwas privates über sich selbst. Colin stellte sich als erstes vor, dann, der Reihe nach, die Teilnehmer. Eine Frau erzählte gerade von sich, da horchte ich auf. Soeben war der Name Paul Meek gefallen. Und man höre und staune, diese Frau kannte Herrn Meek persönlich, war eine Freundin der Assistentin von Herrn Meek. Wer jetzt noch an *Zufall* glaubt, ist selber schuld. In der ersten Pause schnappte ich mir die Frau und zog sie beiseite. Ich erzählte ihr von meinen Bemühungen, Herrn Meek kennenzulernen. Da machte sie mir den Vorschlag, sie zu besuchen. Es gäbe ein regelmäßiges Treffen, geleitet von ihr und der Assistentin von Herrn Meek. Eine Damenrunde die sich trifft, um gemeinsam das Erlernte zu üben. Ich sei herzlich willkommen und könnte Frau Huber, die Assistentin, selbst kennen lernen.

Elektrisiert lauschte ich ihren Erzählungen über Paul, wie sie ihn nannte.

Das Seminar war sehr anstrengend, unglaublich intensiv und mit vielen Erfolgen für die Teilnehmer gekrönt. Am Ende des Wochenendes versprach ich, beim nächsten Treffen der Damenrunde anwesend zu sein. *Zufällig* würde das schon in einer Woche stattfinden.

Und ich war da! Frau Huber, eine nette Frau, erkläre mir allerdings, dass wirklich alle Seminare auf Monate hinaus ausgebucht seien. Doch wenn ich wollte, könnte ich Herrn Meek eine Bewerbung schreiben, mit der Bitte, mich aufzunehmen, falls jemand absagt. Das machte ich noch an Ort und Stelle und gab den Brief Frau Huber mit. Sie versprach, ihn persönlich abzugeben. Damit war für mich die Sache eigentlich erledigt. Ich glaubte nicht daran, dass ich wirklich mal kontaktiert werden würde. Leider konnte ich an den folgenden Treffen nicht mehr dabei sein, weil Walters Zustand dies nicht erlaubte. Später war er dann in Kur und ich hatte niemanden für Tobi.

Mittlerweile hatte ich mir den zweiten Teil von Paul Meek`s Büchern gekauft und gelesen. Ich wünschte mir wirklich sehr, bei diesem großartigen, britischen Jenseitsmedium eine Ausbildung zu machen. Sicher brauche ich nicht extra zu erwähnen, dass die Medialität auch eine Anlage oder besser gesagt Gabe ist, die ich habe, und Gisela mich schon lange schubste, diese nun endlich zu leben. Horoskop-technisch betrachtet stand dies schon lange an und entsprechende Konstellationen deuteten mal wieder darauf hin, dass ich in die Puschen kommen sollte. Aber noch hatte ich dafür nicht den nötigen Mut. Nicht ohne Ausbildung! So begnügte ich mich damit, viele Bücher zum Thema zu lesen und bei der medialen Aufstellungsarbeit die Botschaften für die Teilnehmer zu vermitteln. Befriedigend fand ich das allerdings nicht, zumal ich oft und deutlich zu spüren bekam, wie sehr sich die Hinterbliebenen über eine Nachricht freuten, wie heilsam es sein konnte, wenn Worte gesprochen werden konnten, für die zu Lebzeiten nicht der Mut da war.

Von Zeit zu Zeit, wenn ich nicht alle „Türen" ausreichend verschlossen hatte, schaffte es ein Verstorbener, in meine Beratungen hereinzuplatzen. Dann fragte ich, was ich für ihn/sie tun könne und spürte hinein, ob mein Schützling überhaupt mit der Tatsache umgehen könnte, dass hier ein Verstorbener etwas beitragen wollte. Doch, du wirst vielleicht erstaunt sein, die meisten waren hoch erfreut und sehr dankbar, wenn sie erfuhren, dass sich Vater oder Mutter, Bruder oder Oma um sie sorgten und eine Nachricht für sie hatten. Die Verstorbenen gaben sich mir mit einer Botschaft zu erkennen, die nur für den Hinterbliebenen Sinn machte. Es brauchte oft großen Mut meinerseits, die verworrenen und für mich unklaren Nachrichten weiterzuleiten. Doch für die Kunden machte das meist Sinn und sie erkannten klar, wer sich da gerade einmischt. Zumal ich oft sagen konnte, wie der liebe Opa oder die Mama zu Lebzeiten gewesen waren.

Aber, wie gesagt, das passierte sehr, sehr selten, weil ich es auch nicht zulassen konnte und wollte. Da ich mir meiner Verantwortung meinen Klienten gegenüber sehr bewusst war – und bin, würde ich dies auch nur mit einer fundierten Ausbildung anbieten.

Walter

2008

Im Januar musste ich die Vorträge meiner Referenten aus dem Programm nehmen. Die Zeit war so knapp geworden, dass ich es nicht mehr schaffte, auch noch abends bei den Vorträgen anwesend zu sein, die meine Referenten hielten. Dies war aber notwendig, da ja die Räumlichkeiten vorbereitet, die Leute eingelassen und mit den Referenten abgerechnet werden musste. Von nun an hielt ich nur noch eigene Vorträge.

Der Anruf kam völlig überraschend. Frau Huber, die rechte Hand von Paul Meek, war am Apparat und fragte mich, ob ich am Wochenende, also am morgigen Samstag schon, für eine Teilnehmerin einspringen könnte. Diese sei erkrankt und ich könnte am Einsteiger-Seminar teilnehmen. Oje, wie sehr würde mich das freuen. Doch Walter war noch nicht wieder soweit hergestellt, dass er Tobias das ganze Wochenende bändigen konnte. Und damals hatten wir keinen übrigen Euro zur Verfügung. Schweren Herzens sagte ich ab. Ich war so durch den Wind. „So eine Chance bekommst du nie wieder", hämmerte es in meinem Kopf. Hin- und hergerissen überlegte ich, Frau Huber nochmals anzurufen und doch zuzusagen. Aber das wäre eine solch finanzielle Belastung für unseren Geldbeutel und eine gesundheitliche Anstrengung für Walter gewesen, dass ich es sein ließ.
Ich horchte auf die Stimme meines Engels und Ruhe kam über mich. Wenn es mir bestimmt ist, würde ich eine neue Chance bekommen, egal ob ich mir das vorstellen konnte oder nicht! Durch die Gewissheit, das Richtige getan zu haben, war ich wieder mit mir versöhnt.

Die Rentenversicherung wollte meinem Mann gerne eine neue Arbeit aufs Auge drücken. Allerdings hatten sie es sich zu leicht vorgestellt. Die Ärzte verweigerten ihren Zuspruch zu jeder vorgeschlagenen Tätigkeit. Genau genommen hätte er auch in Rente gehen können. Ich bin mir sicher, mit Ausdauer und genug Hartnäckigkeit wäre das möglich gewesen. Doch darum ging es Walter ja gar nicht. Einzig eine Arbeit, die befriedigend und seinen Talenten entspräche, wollte er finden. Doch das war eine Sache für sich. Ergo wurde er in ein Wiedereingliederungssystem geschleust. Von nun an hieß es für ihn wieder die Schulbank drücken. Jeden Tag, von 8 bis 17 Uhr, musste er nun in den Unterricht, doch wofür und für welche Tätigkeit, das stand in den Sternen. Mir kam es so vor, dass dies auch völlig egal sei, solange er nicht als arbeitslos gemeldet werden würde, wegen der Statistik.

Für Walter war das eine gute Zeit, sich darüber klar zu werden, was er eigentlich wollte. Tja, du magst denken, dass das wohl nicht so schwer sein kann. Doch, das war es schon. Schließlich hatte er sich noch nie darüber Gedanken gemacht, ob er seinen Beruf auch wirklich mag. Nun aber hatte er die Chance, neue Wege zu gehen. Bereits 1999 war er schon einmal nahe daran gewesen sich selbständig zu machen. Doch damals hatte er nicht den Mut dazu gefunden. Dies bekam er jetzt nochmals serviert. Jede vertane Chance zeigt sich in ein paar Jahren wieder. Meist jedoch verbunden mit einer Krise. Das läuft dann so ab, dass man sich an damals erinnert und seufzend sagt: „Ach, hätte ich doch damals …" So war es auch bei meinem Ehemann.

Natürlich tauschte ich mich in dieser Zeit auch intensiv mit Gisela und Gabi aus. Doch helfen konnte da niemand. Wie auch, es ist einzig und allein die Angelegenheit der Person, die es betrifft. Ich hatte schon erkannt, dass die Erkrankung nur ein Schrei von Walters Seele war. Aber diese Erkenntnis musste mein Mann selbst finden. So konnte ich nur zusehen und hoffen, dass er für sich eine Lösung findet.

Gisela erbot sich, für Walter ein Horoskop zu erstellen und zu gucken, was sich arbeitstechnisch aus den Konstellationen herausfinden ließ. Und man höre und staune: Walter war mit einer Beratung einverstanden! Auch für mich gibt es immer noch neue Seiten an meinem Mann zu entdecken. Diese war eine davon. Denn nun stellte sich heraus, dass er bereits seit Monaten sehr intensiv den Gesprächen zwischen mir und Gisela gelauscht und die Rückmeldungen meiner Klienten verzeichnet hatte. Nicht dass du jetzt denkst, ich spreche darüber mit meinem Mann. Nein, aber oft kommt es vor, dass mich Klienten anrufen und von ihren Erfolgen oder dem Ergebnis der Kartenlegungen berichten. Anhand meiner Antworten und auch mal freudigen Glückwünschen konnte er wohl verfolgen, dass Giselas und meine Sicht der Dinge vielleicht doch nicht ganz von der Hand zu weisen ist. Das wiederum führte bei ihm dazu, sich mal unverbindlich darauf einzulassen und sich von Gisela etwas zum derzeitigen Stand der Konstellationen erklären zu lassen. Und das war gut so!

Denn im Horoskop zeigten sich ausgeprägte Hinweise für eine berufliche Selbständigkeit. Was sich aber ebenfalls ganz deutlich zeigte, war die Bestätigung meiner Vermutung, dass sich die Seele die Krankheit als Weg gesucht hatte, um auf sich aufmerksam zu machen. Nun war der Zeitpunkt gekommen, zu entscheiden, mutig zu sein, oder wie damals 1999, lieber auf der sicheren Seite zu bleiben und den bequemeren Weg zu gehen. Da bisher alle von Giselas erstellten Prognosen eingetroffen waren, auch viele, von denen ich hier gar nicht geschrieben hatte, blieb es nun Walter überlassen, seinen Weg zu finden und eine Entscheidung zu treffen. Denn was er beruflich gerne tun wollte, das wusste er bereits seit Jahren, wie ich erstaunt von ihm zu hören bekam.

Lange Rede, kurzer Sinn. Er machte sich mit einem Haus-und Gartenservice selbständig. Das Amt gab seine Zustimmung und gewährte ihm auch vorübergehend eine finanzielle Unterstützung. Nun begann er freudig seine neue Arbeit zu planen und machte sich daran, die notwendigen Unterlagen, Genehmigungen und Behördengänge zu erledigen.

Bevor es endgültig los gehen sollte, verlebten wir noch einen schönen Urlaub in Ägypten. Den hatten wir uns auch wirklich verdient. Alles lief wie am Schnürchen, es gab keine Hindernisse oder unvorhergesehene Stolpersteine. Und das ist immer ein Hinweis, dass der eingeschlagene Weg der richtige ist.

Anfang September meldete Walter sein neues Gewerbe an. Mit Tatkraft und neuer Energie erledigte er seine ersten Aufträge. Von nun an war er wie ausgewechselt. Mit guter Laune und viel Spaß nahm er die neue Herausforderung an. Natürlich kamen ab und zu auch Zweifel an der Richtigkeit dieses Weges bei ihm auf. Aber jedes Mal konnte ich ihm wieder Mut machen. Von Seiten der Familie wurde diese Entscheidung nicht von allen gut aufgenommen. Einige trauten Walter das nicht zu, andere verwiesen wiederum auf das scheinbar große Risiko der Selbständigkeit. Doch Walter ließ sich seinen Weg nicht schlechtreden und schaltete einfach auf Durchzug, wenn Einwände kamen. War sowieso schon zu spät. Wir wussten schon, weshalb wir erst darüber sprachen, als schon alles festgemacht war. Bereits gegen Ende des Jahres hatte es sich herumgesprochen, dass Walter einen Haus- und Gartenservice anbot. Einige Nachbarn hatten kleinere Aufträge, an die er sich mit Freude und Elan heranmachte.

Saft-und kraftlos

Oft tauschte ich mich mit meiner Freundin Gabi aus. Sie hatte sich in den letzten Jahren ebenfalls mit vielen Themen der Spiritualität auseinandergesetzt und in diesem Jahr ihre Prüfung zur Klangschalen-Therapeutin abgelegt. Lange Zeit schon lebte sie ihr Leben im Einklang mit Gott und ihrer Umwelt. Ich freute mich sehr darüber, dass sie nun den Weg in die spirituelle Arbeit gewagt hatte. Oft war ich mir nicht sicher, ob sie den Weg weiter beschreiten würde. Zu viele Hürden stellten sich immer wieder in ihren Weg. Aber sie ging beständig weiter, nahm ebenfalls jede Herausforderung an und verwandelte sie in eine Chance zum Seelenwachstum. Wann immer ich selbst an einer Hürde stand oder einfach keine Lösung fand, beriet ich mich mit Gabi und Gisela. Gabi hat hervorragende Gaben in der Energie- und Mentalarbeit. Diese liegt mir selbst nicht so. Ich mag es, meine Klienten bei mir zu haben, direkt im Austausch mit ihnen zu sein. Gabi hat die Gabe, sogar Klangschalen mental anzuschlagen und ihren Kunden auf weite Entfernungen zu helfen. Dennoch stimmen wir in einer Meinung vollkommen überein. Es ist an der Zeit, in die Eigenverantwortung zu gehen! Es kann nicht sein, seine Verantwortung an einen Berater, Heiler oder Begleiter abzugeben. Unsere Auffassung von Helfen ist die Hilfe zur Selbsthilfe. Und das geht nur über das Erkennen der eigenen Muster, Prägungen und Glaubenssätze. Ist dies erkannt, begleiten wir unsere Kunden auf dem Weg zur Eigenverantwortung und bei der Auflösung der alten Prägungen. Jede macht das auf ihre ganz individuelle Weise. Meine Gabe ist das Spüren, Fühlen und Wahrnehmen der geistigen Welt, die die Menschen begleitet, und in der Kommunikation herauszufinden, was gerade ansteht. Gabis Werkzeuge sind ihr Wahrnehmungssinn, die Energiearbeit und ihre Klangschalen. Gisela arbeitete mit ihrem Geistführer zusammen die Horoskope ihrer Kunden aus und beriet diese dann ausführlich und individuell.

Das heißt aber nicht, dass wir mit unseren Gaben geizen und diese nur für uns beanspruchen. Nein, wenn es dringend ist, greifen wir auch mal ein und senden Heilkräfte oder Energie. Doch es ist uns ganz wichtig hervorzuheben, dass dies nichts ist, worauf wir ein Monopol hätten. Nein, ganz im Gegenteil, wir möchten die Menschen aufrütteln und ihnen zurufen: „Lerne, es selbst zu tun, denn jeder hat diese Gaben und Fähigkeiten!"

In meiner Praxis hatte ich viel zu tun und fuhr auch schon mal zu meinen Klienten, wenn es sich nicht anders einrichten ließ. Selbst ins Krankenhaus wurde ich gerufen. Um es kurz zu machen: Ich hatte so viel Arbeit, dass ich bald nicht mehr wusste, wo mir der Kopf stand. Ich bin nicht der Typ, der nach der Beratung seine Klienten mitsamt seinen Problemen einfach aus dem Kopf wirft und zur Tagesordnung übergeht. Nein, bei mir arbeitete es danach noch im Inneren. Dies führte dazu, dass ich mich fast nur noch mit den Problemen meiner Kunden beschäftigte. Selbst nachts noch grübelte ich darüber nach, wie ich am besten helfen konnte. Zwischenzeitlich hatte ich ganze Familien in der Betreuung, denen es sehr schlecht ging. So war es bald Gang und Gebe, dass ich auch am Wochenende zu meinen Klienten fuhr. Daneben noch Tagesseminare, Energiearbeit und Kartenlege-Kurse. Viele Monate ging das so.

Walter bekundete von Zeit zu Zeit seine Sorge, dass ich viel zu viel gebe. Mein eigenes „Gebot", dass Geben und Nehmen im Einklang sein müssen, um ausgewogen zu bleiben, übersah ich geflissentlich. Da fing Tobias wieder an, mich zu spiegeln. Er wurde unausgeglichen, mürrisch und sackte in der Schule ab. Noch konnte oder wollte ich die Anzeichen nicht sehen. War ich doch der Meinung, dass es nur richtig sein konnte, wenn ich mich eingehend um meine Kunden kümmerte.

Mit der Zeit wurde ich immer unausgeglichener, die Arbeit fing an, mich auszulaugen und machte mir auch keine wirkliche Freude mehr. Da kannst du wieder einmal sehen, dass man für sich selbst meist in einem Tunnelblick gefangen ist. Alles, was ich Tag ein, Tag aus meinen Kunden zu vermitteln versuchte, worüber wir redeten, blendete ich für mich selbst aus. Das konnte nicht gut gehen und ich bekam die Quittung dafür Anfang November.

Nachts wachte ich mit quälenden Schmerzen unter meinem rechten Rippenbogen auf. Ich konnte nicht mehr schmerzfrei atmen, jede Bewegung tat scheußlich weh. Nach Luft japsend versuchte ich mich aus dem Bett zu hieven. Wirklich, ich konnte mich nur noch zentimeterweise bewegen. Alles tat weh. Ich überlegte ernsthaft, ob ich einen Herzinfarkt haben könnte. Bei Frauen sind die Zeichen dafür meist nicht so deutlich wie bei Männern. Aber ein Gefühl sagte mir, dass das nicht der Fall sei. So nahm ich ein Aspirin und schlürfte wieder ins Bett. Stocksteif, auf dem Rücken liegend, versuchte ich Luft zu bekommen. Ich wollte leise sein, um Walter nicht zu wecken. Doch jeder Atemzug verursachte erneute Schmerzen, so dass ich fast aufschrie, was wiederum gemein weh tat.

Irgendwann schlief ich dann doch ein, das Aspirin half mir dabei ein bisschen.

Am nächsten Tag betäubte ich mich mit mehreren Schmerztabletten und fuhr zum Arzt. Dieser konnte das Ganze nicht zuordnen. Sein Verdacht fiel auf eine Gallenkolik oder einen Gallenstein. Beim Ultraschall konnte er meine Galle aber gar nicht finden, auch keine Anomalien oder einen Hinweis für die Schmerzen. Danach schickte er mich in die Internisten-Praxis, in der ich früher selbst arbeitete. Dieser Arzt wiederum fand auch keine Erklärung für meinen Zustand.

Naja, ich brauche dir jetzt die Odyssee meiner Untersuchungen gar nicht lange erzählen. Schließlich war mir schon bewusst geworden, was dies alles für mich bedeuten sollte. Es war ein klarer Hinweis meiner Seele, dass ich mich total verausgabt hatte. Nun wurde mir eine Zwangspause auferlegt. Der Arzt puzzelte sich eine Diagnose zurecht: „Das wird eine Rippenfellentzündung sein, die ist oft nicht nachzuweisen." Nun, gerade meine Erfahrungen in dieser Praxis hatten mich gelehrt, dass man die nur als Folge einer Grippe oder zumindest einer heftigen Erkältung bekommen kann. Aber ganz bestimmt wacht man nicht nachts auf und hat eine Rippenfellentzündung. Ich wurde mit dem Rat entlassen, mich für die nächsten zwei Wochen auf das Sofa zu legen und nichts zu tun, dann würde ich bald genesen. Ein Rezept gegen die Schmerzen bekam ich nicht. Doch das war mir egal, schließlich hatte ich eine Packung Schmerztabletten, die noch von Walters Erkrankung übrig geblieben waren.

Ich wusste, was ich nun zu tun hatte. Zunächst machte ich eine ausgiebige Meditation. Von meinen Geistigen Helfern erfuhr ich, dass ich eine Arbeitspause machen sollte. Es sei bei mir alles im Ungleichgewicht. Ich sollte alle Termine bis einschließlich Januar absagen, meine Engel würden dafür sorgen, dass meine Kunden dies verstünden. Außerdem sollte ich mich die nächste Zeit nur auf mich und meine Bedürfnisse besinnen. Das hörte sich schon mal gut an. Da hatte ich gar nichts dagegen einzuwenden. Mit diesen Schmerzen wäre es selbstzerstörerisch weiterzuarbeiten. Einen Einwand hatte ich allerdings doch. Was, wenn Walter in dieser Zeit keine Aufträge hätte? Keine Sorge, so die Antwort meines Engels, dafür sei gesorgt. „Dein Wort in Gottes Ohr", dachte ich bei mir. „Bleib im Vertrauen", war die Antwort. Das beschämte mich. Schließlich wurde uns immer geholfen. Viele Male hatte ich schon Beratungstermine bekommen, wenn es finanziell gerade sehr schlecht aussah.

Also gab ich nun alles nach oben ab. Ich sagte Gott und seinen Engeln, dass ich im vollkommenen Vertrauen sei und ich bat, dass sich alles zum Wohle aller Beteiligten richten möge.

Alle meine Kunden zeigten Verständnis und wünschten mir gute Besserung. Tobi wurde wieder der alte und war auch umgänglicher. Dennoch bat ich Gabi, für Tobias zu wirken, da ich selbst keine Kraft und Energie hatte. Sie versprach, sich Tobias einmal in der Meditation herbei zu bitten und wenn sie von Tobias Seele ein „Ja" bekommen würde, wollte sie für ihn wirken. Dies ist auch ein ganz wichtiger Faktor, der bei jeder Beratung und Heilarbeit bedacht werden muss. Schließlich können wir den Grund für die Problematik unserer Kunden nicht wissen. Es ist immer möglich, sogar wahrscheinlich, dass das ein wichtiger Lernschritt der Person ist. Was, wenn wir uns darüber hinwegsetzen, uns quasi einmischen und somit verhindern, dass der Mensch lernen kann? Gabi und ich fragen in der Meditation immer die Seele der Person, der wir helfen möchten, ob dies gestattet sei, oder ob die Seele die aktuellen Probleme für das Wachstum der Persönlichkeit vorgesehen hatte. Viele Male habe ich ein deutliches Nein bekommen, als ich nachfragte, ob ich helfen dürfte!

An Walters Geburtstag, Mitte November, kam ein großer Auftrag ins Haus, der ihn bis Ende des Jahres beschäftigen würde. Na, wer sagt's denn! Wieder mal hatten uns die Engel unterstützt und Wort gehalten. Nun konnte ich mich beruhigt zurücklehnen, mich ausschließlich um mich, meinen Haushalt und die Familie kümmern. Es kamen keine Anfragen wegen einer Beratung oder zum Karten legen. Auch die Kunden, welche ich in den vergangenen Monaten betreut hatte, meldeten sich bis Ende des Jahres nicht mehr. Einige Wochen später war meine Gesundheit wieder ganz hergestellt.

Es ist erstaunlich wie sich immer alles richtig fügt, wenn man Vertrauen zeigt und die geistige Welt einfach für sich machen lässt. Im Dezember hielt ich die Unterlagen dieses Verlages in den Händen. Die Vertragsbedingungen gefielen mir. Deshalb gab ich den Zeichen, die ich in den letzen Wochen erhalten hatte, nach und schloss meinen Vertrag für dieses Buch ab. Ich sollte drei Jahre Zeit haben, mein Buch zu veröffentlichen. Und es wäre egal, ob ich nur ein Exemplar für mich oder doch eine größere Auflage haben wollte. Eingangs hatte ich ja darüber geschrieben, dass ich einige deutliche Hinweise erhalten hatte, mein Buch, oder das, was bis dahin schon geschrieben war, zu vollenden und zu veröffentlichen. Nun konnte ich noch während des Schreibens darüber entscheiden. Im Dezember hielten meine Freundinnen und ich eine kleine Weihnachtsfeier ab. Ich erzählte ihnen von meinem Plan, mein Buch publik zu machen. Gabi und Gisela erklärten sich spontan bereit, mich dabei zu unterstützen. Da ich meinen Vertrag ohne Korrektur und Lektorat abgeschlossen hatte, war dies für mich wie ein Geschenk. Sie fanden die Idee gut, da sie der Meinung waren, ich hätte vieles zu erzählen, das anderen Menschen vielleicht helfen könnte.

Weihnachten verbrachten wir bei Silvia und Marko, Silvias zweitem Ehemann, in ihrem neu erworbenen Häuschen. Im August hatten sie sich diesen Traum erfüllt und mit viel Liebe renoviert, gemalert und hergerichtet. Das Häuschen wurde ein kleines Schmuckstück, mit gemütlicher Atmosphäre, von Silvia liebevoll dekoriert. Zum Haus gehörte ein zweites, großes Grundstück, welches die Besitzerin separat als Baugrund verkaufen wollte. Somit hatten sie für die nächste Zeit ein riesiges Gelände, das sie mitbenutzen durften. Silvia fragte mich einmal, ob ich es mir vorstellen könnte, das Grundstück zu kaufen und bei ihnen nebenan ein Häuschen zu bauen. Entrüstet verneinte ich dies. Nein, auf gar keinen Fall konnte ich mir vorstellen, dort zu wohnen. Überhaupt der Gedanke, von meinem Zuhause fortzugehen, verursachte mir Magendrücken. Aber das war ja auch nur eine kleine Gedankenspielerei meiner Schwester.

Neue Ziele

Im Januar ging ich mit Eifer daran, an diesem Buch zu schreiben. Die ersten Kapitel waren schnell gefertigt und wurden sogleich Gabi und Gisela zur Kritik vorgelegt. Überrascht hörte ich, dass sie es beide gut fanden. Das schürte meine Schreiblust und bereits Ende des Monats waren viele Kapitel geschrieben. Gabi und Gisela hielten Wort und korrigierten, machten Vorschläge und lasen fleißig die fertigen Zeilen. Es ging zügig voran, aber etwas brodelte in meinem Inneren. Noch immer war meine Beratungspraxis wie leergefegt. Ab und an hatte ich mal Termine zum Karten legen, doch so richtig viel zu tun hatte ich nicht. Nun weiß ich schon aus Erfahrung, dass das immer ein Zeichen für mich ist, etwas zu verändern. Zunächst dachte ich, es hätte mit meiner begonnenen Ausbildung bei Paul Meek zu tun. Ach herrje, davon hab ich dir ja noch gar nichts erzählt. Nach unserem Urlaub in Ägypten lag ein Brief von Paul Meek in den Bergen von Post. Ich könnte mich verbindlich anmelden, wenn ich dazu noch Lust hätte. Ob ich noch interessiert sei? Und ob! Sofort meldete ich mich dort an, gerade noch rechtzeitig hatte mich dieser Brief erreicht. Ansonsten wäre ich weiter zu Colin Bates gegangen. *Zufall?* Natürlich nicht! Ich kann davon ausgehen, dass das wirklich mein Weg ist. Im Grunde haben meine Engel wieder mal kräftige, kleine Wunder für mich zustande gebracht. Wenn du auf der Seite von Paul gelesen hättest, hättest du erfahren, dass bis zum Jahr 2010 alles ausgebucht war, was mit Ausbildung und Seminaren zu tun hatte.
Das Seminar bei Paul, so darf man ihn nennen, wenn man mit den Kursen bei ihm beginnt, war einfach toll. Er

ist ein unglaublich guter Lehrer, sehr konsequent und dennoch immer für einen Scherz zu haben. Ich genoss das Wochenende bei ihm sehr und meldete mich bereits für den kommenden Mai erneut an. Und nun halt dich fest. Es war das vorerst letzte Einsteiger-Seminar, das Paul selbst hielt. Von den danach folgenden Beginner-Seminaren an, machte das eine, extra dafür von ihm geschulte, Seminarleiterin. *Zufall?* Ich hatte das Glück eine richtige Ausbildung bei ihm beginnen zu können. Naja, mit Glück hat das eigentlich nichts zu tun. Sondern mit Fähigkeiten, die ich bei Paul unter Beweis stellen musste. Womit wir wieder beim Thema wären. Zunächst dachte ich, meine Engel wollten, dass ich mich voll und ganz auf diese Ausbildung konzentriere, dass ich viel arbeite und übe und außerdem das Buch vollende.

Doch mit der Zeit merkte ich, dass da etwas anderes am Grummeln war. Etwas, das tief in mir wühlte, das mit meiner Familie, Walter und meinem ganzen Umfeld zu tun hatte. Was war es nur, das mich so unruhig werden ließ? Ich kam nicht darauf. Auch Walter war unstet und ratlos, was mit uns los war. Er konnte ebenfalls spüren, dass wieder etwas in der Luft lag.
Ich machte eine Meditation und fragte meine Engel, was denn los sei. Leider erhielt ich keine Antwort. Nur eines wurde mir mitgeteilt: „Bis 10.6.2009 sollte dein Buch vollendet und auch schon korrigiert sein." Hä, was sollte das nun wieder heißen? Mit dieser Nachricht konnte ich nun gar nichts anfangen, im Gegenteil, das kam mir etwas komisch vor. Es machte für mich keinen Sinn. Dennoch schlug ich in die Tasten, was das Zeug hielt. Wenngleich ich auch dachte, dass ich mir diese Botschaft meiner Geistigen Führung nur eingebildet hatte, versuchte

ich dennoch regelmäßig am Buch zu schreiben. Schließlich hatte ich auch schon oft die Erfahrung gemacht, dass ich dachte, eine Botschaft seien meine eigenen Gedanken und deshalb dem Inhalt misstraute, um dann festzustellen, dass sie richtig war und im Rückblick Sinn machte.

In mir machte sich dermaßen viel Unruhe breit, ich wäre am liebsten die Wände hochgelaufen. Was konnte das nur sein? Dann hatte ich im März, an drei aufeinanderfolgenden Nächten, diese Träume:

1. Traum:

Ich bin als Wetterforscherin unterwegs. Mein Spezialgebiet sind Gewitter. Ich weiß, dass sich bald ein großes Unwetter zusammenbraut, aber niemand glaubt mir. Dann bin ich in einem riesen Hochhaus. Im obersten Stockwerk, bestimmt an die 35 oder so, ist eine Anmeldung für ein Krankenhaus untergebracht. Meine Freundin Waltraud arbeitet dort (im Traum). Sie verspricht mir, mich dort einzuschleusen, warum weiß ich nicht. Jedenfalls bin ich inkognito dort, sitze an der Anmeldung mit weißem Kittel. Ich verhalte mich still, weil ich nicht will, dass jemand merkt, dass ich eigentlich nicht dort arbeite. Eine Frau kommt auf mich zu und sagt: „Ich weiß, wer du bist, du bist von der Quelle." Ich will das gerade erklären, da schaue ich aus dem Fenster. Eine gewaltige Gewitterfront zieht direkt auf uns zu. „Oh mein Gott", rufe ich und deute aus dem Fenster. Im selben Moment bin ich auf dem Dach des Hochhauses und schaue gebannt auf das, was da auf uns zukommt. Sowas hab ich in „echt" noch nie gesehen. Alles ist schwarz und furchterregende Blitze sind direkt unterwegs zu diesem Haus. Dann ist plötzlich mein Mann da, wir halten uns umfangen und schauen gebannt in das Gewitter. Plötzlich schreit mein Mann: „Achtung", und wir umarmen uns ganz fest. Da schlägt auch schon ein alles zerstörender Blitz in das Gebäude ein, und wir spüren die gewaltige Erschütterung und die Welle, die uns durchdringt. Doch nichts passiert. Ich bin erstaunt und schaue meinen Mann an. Das Gebäude blieb stehen, was in Wirklichkeit niemals möglich wäre.

Nächster Traum:
Ich bin mit Waltraud in der Praxis, in der wir früher zusammen gearbeitet hatten. Sie fragt mich, ob ich Lust hätte, in der Mittagspause ihre Bekannte Jutta zu besuchen. Ich stimme zu. Mittags sagen wir dem Chef Bescheid, dass wir beide gehen. Dann fahren wir gemeinsam mit dem Rad, mal ist es ein Tandem, mal sind es zwei Räder, durch einen wunderschönen, lichtdurchfluteten Wald. Es geht über Trampelpfade und Wanderwege. Ich habe das Gefühl, dass wir schon ewig unterwegs sind. Nun werde ich langsam ungeduldig und frage nach, WIE lange es denn noch dauert. Waltraud weiß es nicht, Handy haben wir nicht. Also fahren wir einfach weiter. Da kommen wir in eine kleine, süße Stadt, direkt kitschig, wie aus einem Hollywood-Film. Am erstbesten Café machen wir Halt. Waltraud hat nun ein Handy und ruft Jutta an, um zu fragen, wo wir sind und wo sie wohnt. Wir erfahren, dass wir noch zwei Stunden zu fahren hätten. Das geht nicht, die Abendsprechstunde beginnt bald. Wir besteigen unsere Räder, radeln los und ich wache auf.

Letzter Traum:

Ich bin in einer Gegend, die ich nicht kenne. Ganz allein. Überall sind wunderschöne Felsgebilde, etwa wie in Stonehenge. Ich liege auf, wie soll ich sagen, einer Art Tisch, aus Stein oder Fels. Es ist dennoch nicht unbequem. Ich bin in den Wehen und bei mir ist eine Energie, „Etwas", eine Präsenz. Ich fühle mich wohl und bin gewiss, dass ich nun dieses Baby gebären werde. Ich verspüre keine Angst, fühle mich von dem „Etwas" zwar beobachtet, aber auch beschützt. Neben mir ist eine Art Gebilde aus Stein, wie eine Statue, aber ich weiß nicht, was es ist. Jedenfalls hat es eine Form. Dann kommt mein Baby, ich ziehe es zu mir hoch und lege es mir auf die Brust. Das Geschlecht erkenne ich nicht. In dem Moment zerspringt das Gebilde neben mir in Millionen kleinste Teile. Ab jetzt läuft alles in Zeitlupe ab. Wirklich millimeterweise. Ich sehe, dass ein Stückchen davon gaaaanz langsam hochfliegt und direkt Kurs auf das Ohr meines Babys nimmt. Es sieht aus wie eine Ahle, allerdings viel feiner und graziler. Dieses dringt nun tief in den Gehörgang des Babys ein. Ich habe keine Angst, ich weiß im Traum (Heute leider nicht mehr), was das bedeutet und empfinde keine Bedrohung oder Furcht um das Neugeborene.

Wie du dir vielleicht schon denken kannst, war das sehr aufschlussreich für mich. Gerne gebe ich dir einen kleinen Einblick in die Symbolsprache dieser Träume.

Im ersten Traum wird mir gezeigt, dass wir mit erheblichen Umbrüchen zu rechnen haben. Diese werden groß und vielleicht auch beängstigend sein. Dennoch werden wir uns den neuen Herausforderungen stellen. Alles im

Traum deutet auf einen großen Wandel hin. Doch es wird mir auch aufgezeigt, dass wir ein sehr stabiles Fundament haben und dass männlich und weiblich, Walter und ich, fest zusammenhalten werden, wir uns gegenseitig halten und gemeinsam mutig in die Veränderungen schauen.

Der zweite Traum deutet darauf hin, dass wir nach den Umbrüchen auf der Suche nach dem richtigen Weg sind. Aus eigener Kraft und Antrieb werden wir uns, in unbekanntem Umfeld, den richtigen Weg suchen. Im Traum stellt der Wald immer unser Unbewusstes dar. Die Räder stehen für Antrieb. Ich werde im Traum begleitet, von meiner Intuition, nämlich Waltraud, die für meine weibliche Seite steht. Das wiederum heißt Bauchgefühl, Gespür und Wahrnehmung. Außerdem steht Waltraud für mich im realen Leben für Stabilität und Harmonie. Auch kommt mit dem Café zum Ausdruck, dass wir in dieser Zeit für uns sorgen werden. Das Handy steht für die Kommunikation mit unserem Umfeld. Der wichtigste Hinweis dieses Traumes ist, dass wir den Weg nicht mehr zurückradelten, weil ich vorher erwachte. Das heißt, es wird kein Zurück mehr geben.

Im letzten Traum wird mir nun gezeigt, dass etwas ganz Neues geboren wird und etwas Altes, Starres in diesem Moment zerbricht. Ich nähre mein Kind, was bedeutet dass wir unser „Baby", mit dem wir zur Zeit „schwanger" gehen, hegen und pflegen werden. Die Statue steht für das Alte und Starre. Die Energie steht für die Seele oder auch für die Engel, die bei allen Aktivitäten über uns wachen und achtgeben werden, dass wir den Weg weitergehen. Natürlich sind das nur ein paar Eindrücke dieser Träume. Sie enthalten noch weit mehr Hinweise und wichtige Symbole. Aber mir geht es nur darum, dir zu sagen: „Achte vielleicht mal auf deine Träume, denn sie sind wahre Geschenke und zeigen dir oft, schon lange bevor etwas geschieht, was auf dich zukommt. Wenn du deine Träume ernstnimmst und die Symbolsprache lernst, hast du ein tolles Werkzeug in der Hand, dich, dein Leben und dein Umfeld besser zu verstehen."

Ich war nun gewappnet und vor allem aufmerksam. Intensiv beobachtete ich die Zeichen, spürte tief in mich hinein und versuchte nachzuvollziehen, was da auf uns zukommen würde. Dennoch, ich kam nicht darauf, was das sein könnte. Nur diese blöde Unruhe, dieses innere Wissen, dass da etwas Raum nehmen möchte, etwas, das ich noch nicht begreifen konnte, dies wurde immer schlimmer. Oft telefonierte ich mit Gabi und Gisela, doch keine konnte sich so recht vorstellen, wofür diese Vorboten standen, die ich so intensiv spürte. Gisela machte sich dann mal an mein Horoskop und die aktuellen Konstellationen. Was sie mir danach sagen konnte, war aber auch nicht wirklich hilfreich. Sicher, es gab eine Spannung beim Thema Wohnraum, Besitz und Wandlung, aber wie sich diese nun letztendlich auswirken würde, das vermochte Gisela auch nicht zu sagen, da es schließlich meine eigene Entscheidung sein würde, die etwas ins Rollen bringen konnte. Nur um welche Entscheidung es sich handelte, das stand in den Sternen.

Endspurt

Wie sich herausstellte, wusste Gisela sehr wohl, „was im Busch" war. Interessanterweise ging es nun um Dinge, die sie mir bereits vor Jahren andeutete, die ich aber entrüstet und bestimmt von mir gewiesen hatte und auch nicht hören wollte. Dies sah sie im Horoskop schon lange auf uns zu kommen, behielt es aber klugerweise für sich, da sie genau wusste, dass sie uns nicht beeinflussen durfte, bei dem was nun ins Rollen kam.

Ende März 2009 passierte etwas, das ich nur einen „Magischen Moment" nennen kann. Walter und ich wussten von einer Sekunde zur anderen, was falsch lief in unserem Leben. Alles war plötzlich so klar und so logisch. Wie vom Donner gerührt schauten wir uns an und fragten uns, weshalb wir nicht schon viel früher darauf kamen. Tja, ich kann nur vermuten, dass es für alles ein Zeitfenster gibt und in diesem Moment konnten uns unsere Engel zusammen erreichen und uns mit dieser Inspiration durchfluten. Anders kann ich diesen tiefen Impuls nicht erklären. Doch ich bin mir sicher, dass du genau verstehst, was ich auszudrücken versuche. Dafür fehlen mir die passenden Worte.

Fast zeitgleich zu unseren Erkenntnissen bekam ich auch wieder Anfragen für Kartenlegungen oder Beratungen und Klienten von früher meldeten sich für Seminare an.

Seit einigen Wochen richten wir unser Lebensschiff vollkommen neu aus. Wir trafen und treffen jeden Tag neue Entscheidungen, es gibt vieles zu überlegen und zu prüfen. Wir werden noch einmal in ein vollkommen neues Leben durchstarten und freuen uns unbändig darauf.

Nun macht auch die Botschaft Sinn, die ich im Zusammenhang mit der Fertigstellung meines Buches erhielt. Denn dafür wird in den nächsten Monaten keine Zeit mehr sein. Und eine weitere Botschaft, die ich vor Wochen erhielt, wurde mir nun auch klar. Da hieß es, dass ich unbedingt im Vertrauen bleiben soll, denn der April würde ein absoluter Umbruchmonat werden, mit weitreichenden Folgen für mich und meine Familie und die Zahlen 9 und 11 würden dabei eine große Rolle spielen. Damals konnte ich mir darauf keinen Reim machen. Nichts, aber auch gar nichts deutete darauf hin, dass sich in nächster Zeit irgendetwas in unserem Leben ändern würde.

Wieder einmal bekommen Walter und ich zu spüren, dass sich Tür und Tor öffnen, wenn man im Vertrauen ist und seinen Weg einfach weiter verfolgt. Ich bin jeden Tag aufs Neue erstaunt, dass sich Ereignisse derart überschlagen können. Fast jeden Tag erfahren wir zurzeit eine neue glückliche Wende, einen Glücksfall, einen *Zufall*. Wir werden beschenkt und geführt. Die richtigen Menschen tauchen auf, Gelegenheiten ergeben sich und alles, was wir benötigen, um die richtigen Entscheidungen zu treffen, „fällt uns zu".

Nun bin ich fast am Ende meiner Erzählungen angelangt. Worum es sich bei unserem neuen Lebensweg handelt? Wir tun das einzig Richtige und nehmen Kurs auf unseren Lebensplan. Und wenn uns Fortuna weiterhin hold bleibt, dann wirst du sicher davon erfahren, welche Wege wir nun gehen. Versprochen. ☺

Ich möchte mein Buch mit einer kleinen Geschichte beenden.

Als ich vor einiger Zeit einen Vortrag zum Thema Seelenwachstum und Spiritualität schreiben wollte, bat ich meine Engel, mir behilflich zu sein. Sie schenkten mir die Geschichte, die ich als letztes Kapitel schreibe.

Interessanterweise hielt ich diesen Vortrag nie, da ich einfach nicht dazu kam, alles auszuarbeiten und ins Reine zu tippen. Nun weiß ich auch warum. Die Geschichte meiner Engel war diesem Buch vorbehalten. Ich möchte mich schon jetzt von dir verabschieden. Ich hoffe, dass dir mein Werk in irgendeiner Weise behilflich sein kann, darauf vertraue ich einfach. Bitte lese dir die letzte Geschichte besonders aufmerksam durch, denn es ist die Botschaft der Engel.

Seelenwachstum

Eine Seele beschloss eines Tages, auf der Erde zu leben. Sie hatte sich auf die Reise gut vorbereitet und einen großen Rucksack geschnürt. Darin war alles, was man für eine so wichtige Expedition braucht. Eine Reiseroute, Fähigkeiten, Geschenke für Gastgeber, Herausforderungen, Verabredungen mit anderen Seelen, mit genauem Zeitpunkt. Ein Funkgerät und ein Wecker. Je nachdem, welche Erfahrungen in früheren Expeditionen schon gemacht wurden, werden neue Lektionen anvisiert. Vielleicht war diese Seele im früheren Leben ein König, dann plant sie vielleicht für die nächste Route ein Leben als Bettelmann. Natürlich sagt der Schöpfer all seinen Seelen ganz ehrlich, wie gefährlich so eine Reise sein kann. Aber die Seele wird erwidern: „Dafür habe ich das Funkgerät und meinen Wecker." „Dies wirst du aber vergessen, wenn du angekommen bist", wird Gott antworten. „Keine Sorge, andere Seelen werden mich auf meiner Route begleiten und zur rechten Zeit erinnern – Ich habe an alles gedacht!", ist sich die Seele gewiss. Dann wird sie geboren – und erinnert sich nicht mehr daran, was sie sich alles vorgenommen hatte. Der Mensch, in dem sie wohnt, lässt sich vom Ego leiten und hört nur auf seinen Verstand. Manchmal klopft die kleine Seele zaghaft beim Menschen an: „Halloooo duuu?!? Mensch, ich bin hier, ich wohne in dir, wir haben Aufgaben zu erledigen! Warum hörst du mich nicht?" Aber der Verstand des Menschen sagt zum Ego: „Falsch verbunden, da war nichts, wir machen weiter wie bisher, dann wissen wir wenigstens, woran wir sind!" So wird die Seele – der Geist Gottes – lauter anklopfen. Jetzt machen sich die ersten Schwierigkeiten im Leben des Menschen bemerkbar. Das Leben wird festgefahren, ihr denkt darüber nach, ob das schon alles gewesen sein kann. Ihr bekommt eine Ahnung davon, dass da noch mehr sein muss! Nun packt die Seele ihr Funkgerät aus und funkt in alle Richtungen einen Notruf. Dieser Notruf wird vom Menschen wahrgenommen, aber auch von Engeln und anderen Menschen. Der Notruf erreicht alle, die in der Situation helfen könnten. Der Mensch spürt nun ganz deutlich, dass er sein Leben *so* nicht weiter leben will. Durch den SOS-Ruf werden sich Dinge und Situationen ereignen, die deutlich darauf hinweisen, dass etwas anders werden muss. Doch trotz dieses inneren Wissens leben viele Menschen weiter wie bisher. Sie wissen einfach nicht, wie sie etwas verändern können, oder was sie ändern möchten. Lieber bleiben sie unglücklich, traurig, einsam, krank oder verbittert. Und vor allem unzufrieden. Jetzt kann die Seele nur noch einen Trumpf ausspielen. Sie holt ihren Wecker hervor und startet einen Weckruf. Dieser geht in zwei Richtungen: Zum Menschen, in alle Lebensbereiche, aber auch zu euren himmlischen Begleitern. Der Weckruf bedeutet für euch eine massive Erschütterung in Leben. Vielleicht verliert ihr eure Arbeit, die Gesundheit, den Lebenspartner oder die Wohnung. Manchmal stirbt eine geliebte Person oder ihr habt einen Unfall. In jedem Fall wird es etwas sein, das euch aus der Bahn wirft. Doch unsichtbar für euch bereiten sich Engel nun darauf vor, euch aufzufangen, euch zu helfen. Denn meistens erkennt ihr schon bald, dass das alles einen Sinn haben muss. Und wenn ihr erkennt, dass das ein Hilferuf eurer Seele war und nun um Hilfe und Führung bittet, treten sie auf den Plan und ihr hört zum ersten Mal die Stimme eurer Seele. Sie sagt euch nun genau, was ihr tun solltet und zeigt euch den Weg zurück. Den Weg, den ihr vergessen hattet. Eure Seele kennt alle Abkürzungen und Geheimnisse. Wenn ihr gut zuhört, braucht ihr euch niemals wieder zu verirren. Hier beginnt die Spiritualität, oder, eure Bewusstwerdung. Eure Seele wird euch den Weg zeigen und wenn ihr darauf hört, werdet ihr euer altes Leben nicht mehr weiterführen wollen. Ihr verändert eure Denkweise dahingehend, dass ihr immer überlegt: „Tut es mir gut?" Von nun an werdet ihr noch einmal zu Schule gehen. Ihr werdet heraus aus den Schuldzuweisungen und Entschuldigungen, hinein in die absolute Eigenverantwortung für euer Leben gehen. Ihr werdet euch bewusst, dass nur ihr alleine dafür verantwortlich seid, was in eurem Leben passiert. Ihr werdet bemerken, welche Kraft und Macht eure Worte haben. Seid achtsam mit Worten und Gedanken, denn destruktive Gedanken und Worte ziehen Destruktives in euer Leben. Ihr werdet alte Muster und Prägungen verarbeiten, euch selbst lieben und akzeptieren lernen und Abstand davon nehmen, anderer Menschen Lebensweise zu kritisieren. Ihr werdet auch nicht umhinkommen, euren eigenen Schatten zu begegnen und anzuerkennen, sie in Liebe anzunehmen. Ihr werdet die Vergangenheit verarbeiten und euer gesamtes Leben verändern. So schwer sich das für euch anhören mag, bedenkt, die Seele zeigt euch den Weg und Engel begleiten und unterstützen euch bei jedem Schritt. Es werden neue Menschen in euer Leben treten, die euch Lehrer und Förderer sind. Ihr werdet Impulse bekommen und inspiriert sein. Achtet eure Eingebungen! Freude und Leichtigkeit ist euer Geburtsrecht! Eure Seele kennt den Weg dorthin!

Nachwort

Natürlich weißt oder ahnst Du längst, dass wir in ein glückliches, komplett neues Leben hinein gingen und alles hinter uns ließen. Wir kauften das Grundstück neben meiner Schwester. Du erinnerst dich, wie entrüstet ich damals war? Siehst du gerade mein breites Grinsen, beim Schreiben dieser Zeilen?

Im Juli 2009 fingen wir an, unser Traumhaus zu bauen, zogen bereits im September desselben Jahres ein und fühlten uns wie neu geboren. Alles, aber auch wirklich alles, lief wie am Schnürchen. Die Zahlen 11 und 9 standen für den Einzugstermin. Die Umzugsfirma hatte nur an diesem Tag Zeit. Das Datum passte uns gar nicht, da es ein Freitag war und der Bauträger nicht sagen konnte, ob das zu schaffen war. Ich kam erst ein paar Tage vor dem Umzug darauf, dass das die Daten aus meiner mysteriösen Botschaft waren. *Zufall?!*

Tobi fing sein neues Schuljahr gleich an unserem neuen Wohnort an und fand viele neue Freunde. Er war bis heute nicht ernsthaft krank, ist sommers wie winters kurzärmelig, jackenlos und ohne Kopfbedeckung unterwegs. Er ist ein Querdenker und hinterfragt alles. Ebenso ist er aber immer für stimmige Erklärungen und Vernunft zu haben. Zwischenzeitlich hat er die Schule beendet und macht eine Ausbildung zum Mechatroniker. Mit Denk- und Glaubensmustern oder „weil man das so macht" brauchen wir ihm überhaupt nicht zu kommen. Seine Standardantwort ist unisono: „Mama, ich weiß was gut für mich ist, ich mach das schon" Er ist ein typisches Kind der neuen Zeit. Und er ist mein Sonnenschein und größtes Glück. In bin unsagbar stolz darauf, dass ich seine Mami sein darf, auch wenn ich von ihm vor Jahren den Titel: „Strengste Mama der Welt" verliehen bekam. Aber langsam wird er zum Mann, was wieder ein großer spannender Lernschritt für mich ist. Ich muss mich neu definieren, als Mama eines erwachsenen Sohnes. Dies erfordert oft, dass ich meine Ängste um ihn zurückzustelle und stattdessen alles tue, um meinem Sohn Flügel zu verleihen. Aber, um ehrlich zu bleiben, leicht fällt mir dies nicht immer. Ob Autofahren, Discobesuche oder der erste Urlaub mit seinen Freunden … es erfordert eine stete Herausforderung für mich, meine Erlebnisse mit Dominik in den Hintergrund zu stellen, und die Angst ihn zu verlieren, in ihre Grenzen zu weisen. Ich gebe dieser Energie dann eins auf die Nase und sage: „Du hast hier nichts zu suchen, hau ab."

Walter hatte vom ersten Tag in unserer neuen Heimat ausreichend Aufträge. Sein Mut für die Selbständigkeit hat sich in jeder Hinsicht bewährt. Er liebt seine Arbeit und fühlt sich wohl als sein eigener Chef. Und er mag es, um unser Haus herumzustreifen, hier und da Hand anzulegen, alles schön zu erhalten und zu pflegen.

Innerhalb kurzer Zeit fanden viele neue Kunden und auch bekannte Gesichter den Weg zur mir. Sie schenken mir Ihr Vertrauen durch Treue und Empfehlungen in ihrem Freundeskreis.

Jeden Tag sind wir zutiefst dankbar und glücklich, dass wir diesen Schritt wagten, und uns niemals bange machen ließen. Natürlich gab es genug Leute, die ganz sicher wussten, dass wir Schiffbruch erleiden würden. Aber dies ließen wir einfach nicht an uns heran. Wenn du tief im Inneren weißt, dass du das Richtige tust, kann dich niemand mehr aufhalten oder verunsichern.

☺ Nach-Nachwort von 2017

Meine Arbeit biete ich weiterhin in Seminaren, Workshops und Kursen an. Die Ausbildung bei Paul Meek ist längst beendet. Ich darf mich zertifiziertes Jenseitskontakt-Medium nennen und arbeite als solches in meiner eigenen Praxis im Raum Rosenheim. Manchmal bin ich stumm vor Glück und staune, was die geistige Welt alles zaubert. Wie viele Wunder und wundervolle Erfahrungen ich seit Dominiks Tod erleben durfte.

Niemals hätte ich das geglaubt, hätte mir dies irgendeine Menschenseele früher mal gesagt. Niemals hatte ich mir dies in meinen kühnsten Träumen ersehnt. Ich wollte ja „nur" ein Seminarhaus ☺ Welche Wege und verschlungen Pfade ich und meine Seele gewählt hatten, hätte ich nicht für möglich, und nicht ansatzweise für umsetzbar gehalten.

Du siehst, wenn du dich ins Vertrauen begibst und dir erlaubst glücklich zu sein, kommt das, was du dir für deinen Lebensplan vorgenommen hast, auch ohne großes Zutun. Dir selbst ist es dann vorbehalten, wie und auf welche Weise du deine Wege gehst und welche Entscheidungen du triffst.

Es gibt es nur einen großen Wermutstropfen in meinem Leben und das ist die Trauer um zwei wunderbare Menschen. Walters Papa und meine Freundin Gisela sind schon in die andere Welt vorausgegangen. Gisela starb 2012, ganz plötzlich und überraschend. Sie hinterließ eine sehr große Lücke in meinem Leben. Meine

Freundin, Beraterin und Seelenverwandte vermisse bis heute sehr.

Mein Schwiegervater verstarb im Frühling 2013, nach einer sehr schweren Krankheit …

Doch seit wir hier leben, begleiten uns neue, so wunderbare Menschen, und einige davon fanden den Weg direkt in mein Herz … Ich fühle mich reich beschenkt!

Wunder, die in den letzten Jahren Einzug in unser Leben hielten, erstaunen uns jeden Tag aufs Neue, und ich möchte dich herzlich bitten, niemals daran zu zweifeln, dass es diese auch für dich gibt!

Und zu guter Letzt: Jetzt gibt es doch tatsächlich ein weiteres Buch von mir.

Wenn du noch mehr von mir lesen möchtest:

Lebensplan und Seelenwege – Was man im Café Wunderbar so alles plant …

Ab März 2017 im Buchhandel erhältlich unter ISBN: 9783743177079

Lange habe ich nicht daran geglaubt. Doch plötzlich wollte es geschrieben werden, ich bekam den Auftrag dazu Mitte 2016. Im Buch findest du viele, viele Anregungen und Ideen, wie man sein Leben in Griff bekommt und sich seine Wunder selbst kreiert. Du bekommst Hinweise und Impulse welche „Strickmuster und Saboteure" bei dir wirken, und wie du sie auflösen kannst. Und du erfährst, was es mit dem Lebensplan und den Seelenwegen auf sich hat.

Danksagung:

Ich danke ALLEN Menschen,
denen ich bisher begegnet bin,
ALLEN, die ich gerade kennenlerne, und
JENEN, die meinen Weg in der Zukunft kreuzen.
Denn es gibt keine *zufällige* Begegnung!
Jede Begegnung ist wichtig und richtig, und immer eine
Lektion oder mit einer Aufgabe verbunden.

Natürlich gibt es ganz besondere Menschen im Leben eines Jeden, denen auch besonderer Dank gebührt. Weil sie uns Unterstützung, Hilfe, Wärme und Liebe entgegen bringen oder einfach in Krisenzeiten zu uns halten.
Und so danke ich: Walter, viel mehr als ein Ehemann.
Tobias, mein Augenstern.
Meinen Eltern Heidi und Fredi, meinen Schwiegereltern Rosmarie und Walter sen.(†), Silvia, Marko, Helmut und Werner, Diana und Petra.
Gabi, Gisela(†) und Waltraud, liebste Freundinnen.
Meinen Klienten und Kunden, Referenten und Lehrern.
Paul Meek, Max Thanner, Helga Huber.
Auch bei dir, liebe Leserin, lieber Leser, bedanke ich mich von ganzem Herzen.
Und natürlich gilt mein Dank all jenen, die im Buch eine Rolle spielen.
Sei nicht böse, wenn dein Name nicht genannt wurde.
Dennoch sei dir sicher, dass ich auch an dich gedacht habe und dir danke!

Danke Dominik und meinen Freunden in der geistigen Welt.

Beratung

Wenn du während des Lesens Lust bekommen hast, mich kennenzulernen und einen Termin bei mir möchtest, kannst du dich gerne bei mir melden.

Angel-House
Spirituelle und mediale Lebensberatung.
Jenseitskontakt und mediale Coaching
Petra Plößer
Göttinger Str. 36b
Praxis: Göttinger Str. 31
83052 Bruckmühl
www.angelhouse.de
hausderengel@t-online.de
Tel: 08062 – 2709671

Neues Buch:
Lebensplan und Seelenwege – Was man im Café Wunderbar so alles plant …
Dieses Buch ist ab März 2017 im Buchhandel erhältlich unter
ISBN: 9783743177079

Einige, kleine Fehlerteufelchen hielten sich so gut verborgen,
dass wir sie nicht finden konnten.
Einige Satzzeichen haben Fangen gespielt und sind aus dem Buch gepurzelt.
Wenn du sie findest, darfst du sie behalten.

Literaturhinweise

---

[i] Rosemarie Altea: „Sag ihnen, dass ich lebe"

[ii] José Silva: „Die Silva-Mind-Methode"
José Silva: „Silva Mind Control"

[iii] Paul Meek: „Der Himmel ist nur einen Schritt entfernt"
Paul Meek: „Das Tor zum Himmel ist immer offen"
Paul Meek: „Das Leben ohne Ende"